Sous la neige noire

PAULINE DELPECH

Sous la neige noire

Roman

À mon grand-père.
J'ai le sentiment qu'à l'avenir, où que je puisse être,
je me demanderai toujours s'il pleut à Crépières...
Si tu trouves plus d'amour encore au paradis,
garde-le pour moi...

Pour toi Anouk, mon acharnée.

– PROLOGUE –

PARIS, 6 FÉVRIER 1934

Déjà, dans la rue, on sentait l'orage. Celui-ci ne venait pas du ciel, mais des pavés : du côté de la Madeleine, des groupes de manifestants se hâtaient, la canne plombée à la main, le chapeau rejeté en arrière, le poing serré en l'air. Les premiers barrages de police, du côté de la place Beauvau, étaient en train de céder. Le commissaire Barnabé, de loin, changea de trottoir. C'était un homme d'apparence banale, entre deux âges, vêtu comme un employé de bureau : un pardessus gris, avec une martingale boutonnée qui avait été à la mode quelques années auparavant, une veste croisée visiblement achetée au Soldat laboureur, le grand magasin de Denfert-Rochereau, un gilet de même couleur, une cravate noire ou presque. Seul le regard semblait vivant : acéré, vif, il suivait les mouvements de foule, repérant çà et là des inspecteurs « en bourgeois », des mouchards infiltrés, des provocateurs qui lançaient des cailloux ramassés sur un chantier proche. Une voiture passa, une belle Delage à douze cylindres, et le chauffeur donna un brusque coup de volant pour éviter une femme qui marchait d'un pas rapide. Vêtue de noir, elle portait un petit chapeau, presque une calotte, et une écharpe rouge sang flottait sur son épaule. Elle accéléra. Barnabé, en la repérant, se détourna. Il alluma une cigarette, se protégeant du vent aigre de février. Un allumeur de réverbères, en tablier gris, ouvrit la cloche d'un lampadaire avec sa gaffe et, soulevant la lunule en verre, introduisit la mèche allumée du bout de sa perche. Aussitôt, le réverbère donna une lumière rousse qui, au bout de quelques minutes, vira au jaune. Le halo engloba Barnabé, le forçant à rechercher plus d'obscurité. Il descendit sur la chaussée, traversant le boulevard Malesherbes : la femme fendait le flot des manifestants. Un groupe de camelots du roi, des étudiants royalistes partisans d'une destitution immédiate du gouvernement, agitaient des barres, des bâtons ferrés, prêts à en découdre avec la République. Dans les couloirs du ministère, on savait bien qu'ils étaient le groupe de combat de l'Action française. La droite et l'extrême droite s'étaient donné rendez-vous dans cette soirée fiévreuse. L'affaire Stavisky n'en finissait pas de provoquer des remous politiques terribles.

Barnabé rabattit son chapeau. Il ne tenait pas à être reconnu. La femme se glissait habilement entre les énervés. L'un d'eux, rejetant sa casquette d'étudiant en arrière, arrêta le commissaire :

– Alors, avec nous ?

– Et comment !

Dans un grand rire aviné, le camelot du roi le laissa passer. Brièvement, Barnabé repensa à Alexandre Stavisky, dont le suicide récent avait fait exploser toutes les rancœurs, les compromissions, les saletés d'une classe politique corrompue.

Combien de ministres, de chefs de cabinet, de publicistes, de prébendiers avaient touché pour couvrir les escroqueries de monsieur Alexandre, dont les manigances avaient enrichi des centaines de « cols blancs » ? Depuis qu'on avait découvert son corps dans un chalet à Chamonix, victime, en apparence, d'un suicide, l'État vacillait. Le peuple de Paris n'y croyait pas.

« On l'a suicidé d'une balle tirée à trois mètres ! » clamait un homme sec, droit comme une trique. Barnabé reconnut le colonel de La Rocque, le patron des Croix-de-Feu, entouré de ses troupes. « Ils sont dangereux », se dit-il. Il remonta la rue de la Ville-l'Évêque, en direction du ministère de l'Intérieur. Quelques vélos – des estafettes venues des commissariats des 5e, 6e, 9e et 17e arrondissements – peinaient à avancer : la foule les reconnaissait aisément avec leurs sacoches en cuir, et savait que celles-ci contenaient les derniers rapports concernant l'ordre public. Daladier, le président du Conseil, pugnace et mordant, venait d'être rappelé au pouvoir en janvier. Les nationalistes voulaient sa peau. Ils allaient utiliser chaque occasion, exploiter l'affaire Stavisky au maximum, pour le faire chuter, avec l'ensemble du gouvernement.

La femme passa entre deux gardes à cheval. D'autres gardes, casqués, boutonnés, les jambières en cuir bien en place, se pressaient, la matraque à la main. Les chefs de section avaient aussi le revolver de service à la hanche. Barnabé, de loin, reconnut les Saint-Étienne à six balles dont il avait fait usage contre les Allemands, pendant la Grande Guerre. Inquiet, il chercha du regard la femme qu'il suivait. Un éclat rouge lui attira l'œil. Elle tournait dans la rue d'Anjou. Un homme entonna *La Marseillaise*. Aussitôt, ce fut une marée : l'hymne national roula le long des rues, comme un écho immense, et l'on entendit les troupes d'agitateurs massées non loin de là, place de la Concorde. Le bruit de verre d'une vitrine fracassée ajouta à la mauvaise humeur générale. D'un mouvement, les manifestants se tournèrent vers la Seine, dont ils étaient encore séparés par quelques pâtés d'immeubles. Barnabé se sentit emporté par la foule. Il avait du mal à contrôler sa direction.

En arrivant place de la Concorde, prisonnier de cette gangue humaine, il découvrit l'endroit noir de monde. Un excité monta sur une horloge et se mit à haranguer la foule. La femme à l'écharpe rouge traversait le fleuve, en direction de la Chambre des députés. Des pavés commençaient à voler. Les gardes à cheval, qui avaient fait mouvement, tentaient de calmer leurs montures. Les sommations succédaient aux sommations, sans effet. Barnabé nota un grand homme rougeaud, le nez strié de veinules, qui apostrophait la représentation nationale : « Vendus ! Ordures ! Pourris ! » Une brume tenace commençait à monter de la Seine, se mêlant à la fumée d'un autobus incendié. Brusquement, un coup de feu claqua. Immédiatement, la foule reflua, en deux mouvements contradictoires. Certains poussaient, d'autres reculaient. Barnabé sentit qu'on lui marchait sur les pieds. Il aperçut à gauche, au loin, un groupe de parlementaires qui tentaient de sortir du Palais-Bourbon. Des Croix-de-Feu hurlèrent : « À la Seine ! À la Seine ! » Les députés, effrayés, tentèrent de faire demi-tour. Mais une poignée de membres des Jeunesses patriotes de Pierre

Taittinger, fanion en avant, leur barra le chemin. Un jeune homme aux cheveux longs fit voler le chapeau d'un petit député, trapu, l'air indécis. À distance, Barnabé reconnut Hubert Duphault, un assistant parlementaire imprudemment égaré, qui s'était distingué naguère par quelques déclarations intempestives et devenait par là même l'une des cibles privilégiées des extrémistes. Ces derniers commençaient déjà à le tirer par la cravate, dans un brouhaha indescriptible.

Il y avait des gens partout. Les manifestants descendaient des Champs-Élysées, du boulevard Saint-Germain, des Tuileries. Il y avait là des ouvriers, des artisans, des commerçants, des anciens combattants. Barnabé se mit à jouer des coudes, se dirigeant vers le quai d'Orsay, dans une nuit ponctuée d'éclats brusques, de lumières farouches. Duphault était hissé sur les épaules des Jeunes patriotes, on sentait que la foule, désormais, réclamait du sang. Celui de Stavisky ne suffisait pas. Il en fallait encore, encore, pour apaiser cette rage immense d'un peuple floué. Barnabé cherchait toujours la femme qu'il suivait, mais celle-ci avait été engloutie par les milliers de vociférants. À sa gauche, un petit homme cherchait son fils : « Vous ne l'avez pas vu ? Il a seize ans ! » À sa droite, un mécano fouillait dans sa poche, pour en extraire une poignée de billes d'acier. Au moment où les gardes allaient s'élancer, sabre au poing, l'homme lança les billes, suivi par d'autres camarades. Immédiatement, les chevaux se mirent à tituber, à se cogner, cherchant leur assise. Les cavaliers, déséquilibrés, tentaient de garder les rênes en main, mais toute velléité de frapper la foule était retombée. Des pétards, destinés à affoler les bêtes, éclataient. Un ordre claqua : « À pied ! » Les policiers se mirent en rang. Les chevaux, à terre, pataugeaient misérablement. La première charge fut brutale. Les coups de matraque commençaient à tomber. Barnabé comprit que des manifestants dressaient une barricade quelques rangs derrière lui. Certains avaient des cannes prolongées par des lames de rasoir, pour entailler les jarrets des chevaux. Un coup de feu retentit, un garde s'effondra. L'autobus incendié, poussé contre l'obélisque, flambait de plus belle. Pierre Taittinger ordonna : « Levez les cannes et forcez le barrage ! » Des membres de l'Union nationale des combattants, médailles épinglées sur le veston, faisaient écran et protégeaient les contestataires. Les nouvelles étaient alarmantes : on se battait place de l'Hôtel-de-Ville, sur les Grands Boulevards, à la Madeleine. Ici, les premiers blessés tombaient.

Barnabé avait perdu sa filature. Il décida d'obliquer et parvint au coin de la Chambre des députés au moment où, de main en main, Duphault était porté vers la Seine. D'un geste rapide, Barnabé saisit le Jeune patriote près de lui, ramassa la canne plombée qui lui avait glissé des mains et la jeta entre les jambes d'un autre excité. Dans la mêlée qui s'ensuivit, il attrapa le coude d'Hubert Duphault, qui cherchait son équilibre. Barnabé sentit qu'on accrochait sa martingale. Le tissu cédant, il se retourna vivement et récupéra la canne plombée, dont le bout ferré lui servit d'arme. Il entendit des os se briser, et vit le manifestant disparaître dans l'océan humain. Barnabé se tourna vers Duphault et lança : « Vite, monsieur, par ici ! Suivez-moi ! »

Devinant que cet homme représentait son salut, Duphault n'hésita pas. Tous deux s'éloignèrent de la Seine. Derrière eux, des gardes chargeaient à cheval, des pavés volaient, des corps s'affalaient. Plus loin, la terrasse d'un café était transformée en infirmerie. Le bruit courait qu'un policier venait d'être tué. La manifestation menaçait de tourner à la boucherie. Parvenu à la Maison de la chimie, derrière le Palais-Bourbon, Barnabé fit signe à Duphault de se réfugier dans le bâtiment. Ils entrèrent dans le hall, où gémissaient quelques blessés. Au premier étage, une salle remplie d'éprouvettes et de microscopes était silencieuse. Barnabé s'adressa à Duphault :

— Il ne nous reste plus qu'à attendre, monsieur.

— Attendons donc. Dommage, dans toute cette agitation, j'ai perdu mon chapeau. Sont-ce des hommes ou des bêtes ?

— Je me le demande.

— Nous sommes-nous déjà rencontrés ?

— Peut-être. Je me présente : commissaire Barnabé. J'étais au Chemin des Dames...

— Ah, alors... Merci de votre aide, commissaire. Sans vous, je serais en train de barboter dans la Seine. Et, je vous l'avoue, je ne suis pas un très bon nageur.

Les deux hommes prirent des chaises. La clameur, dehors, augmentait. L'émeute grandissait. On entendait des coups de feu. Duphault reprit :

— Il y aura des morts, cette nuit.

— À n'en pas douter.

— Vous étiez là pour maintenir l'ordre ?

— Non. Je passais par là, pour une enquête criminelle.

– Liée à l'affaire Stavisky, commissaire ?

– Oui. Il avait tellement de relations, le brigand !

Le tumulte, dehors, était à son comble. Les charges des gardes républicains se succédaient, des cageots brûlaient, des blessés hurlaient. Dans l'obscurité, Barnabé, debout devant la fenêtre, observait. Du premier étage, il avait une vue excellente sur ce déferlement humain, cette fournaise où l'Histoire se forgeait. D'un regard perçant, il faisait la part des choses : il voyait les agitateurs, les policiers infiltrés, les voyous, les manifestants. Brusquement, son œil fut attiré par un endroit plus éloigné. Les émeutiers s'écartaient, laissant un espace vide, avant de fuir, poursuivis par les cavaliers. Il lui sembla voir la femme à l'écharpe rouge. Barnabé descendit dans la rue, se précipitant vers elle. Parvenu au coin de la place, il s'arrêta net.

Le gouffre du Mal s'ouvrait devant lui.

– Première partie –

LES DEUX AFFAIRES

– CHAPITRE PREMIER –

JUIN 1933

Lorsqu'il s'éveilla ce matin-là, Barnabé était couché sur le dos. Il avait rêvé, d'un rêve qui lui laissait la bouche mauvaise. Il avait vu Eleanora dans un jardin attaqué par les uhlans. Des lanciers empalaient des paysans, et Eleanora, insouciante, taillait des roses. Alors qu'une fleur tombait, dévoilant une carte à jouer – un as de pique –, un Prussien avait chargé la femme. Impuissant, se mouvant au ralenti comme un noyé, Barnabé s'était mis à courir pour sauver l'amour de sa vie, mais il était trop tard. Il avait vu la pointe s'enfoncer dans le dos d'Eleanora, et celle-ci, souriante, avait eu pour lui un geste d'adieu, avant de tomber dans les ronces.

Barnabé se secoua :

– Sale rêve.

L'obscurité n'était pas totale dans la chambre. En ce mois de juin 1933, une certaine douceur se faisait sentir, annonçant un été chaud. Barnabé se retourna dans son lit pour jeter un coup d'œil à Marinette, sa compagne depuis trois ans. Celle-ci, une petite brune originaire d'Aix-en-Provence, meublait sa vie. Elle la meublait mal, à vrai dire. Malgré sa silhouette de cousette mince et vive, Marinette n'occupait dans l'existence de Barnabé qu'une place secondaire. Le commissaire avait d'autres passions : les cartes d'abord, l'alcool ensuite, la tristesse enfin. Il avait réussi à juguler les deux premières, et s'était plongé dans son travail avec la férocité d'un homme qui n'a plus rien à perdre. À quarante-cinq ans, André-Georges Barnabé avait parfois l'impression d'être un homme fini. La mort d'Eleanora, puis la guerre, l'avaient laissé, comment dire ? Vidé. Malgré la présence de Marinette, il se sentait seul, vieilli.

Le drap avait glissé, découvrant l'épaule de sa compagne. Cette petite serveuse à la brasserie Wepler, place de Clichy, avait une tache de naissance, juste au-dessus du sein. Les clients la taquinaient souvent pour voir si ladite tache ressemblait bien à un papillon, une fois dévoilée en totalité. Marinette riait, servait les bières, et s'en allait avec le pourboire. Ces messieurs qui agitaient les chaînes de leurs montres en or, leurs cannes en acajou et leurs melons ne l'impressionnaient pas. Le seul qui l'avait impressionnée, c'était Barnabé, parce qu'il ne riait pas. Elle avait eu le sentiment qu'elle pourrait combler le vide qui l'habitait. C'était une erreur. Ils s'étaient installés dans une vie étriquée, sans complications, avec le confort moderne : un poêle pour l'hiver, un lavabo pour se laver, un tub pour prendre un bain en fin de semaine et une salle à manger avec une nappe. C'était sa première nappe, à Marinette.

Dans la lumière hésitante du matin, Barnabé jeta un coup d'œil sur le cendrier, près du lit, rempli de mégots de cigarettes « Le Nil ». Par la fenêtre, il entendait la carriole du laitier, traînée par un cheval apathique, qui s'approchait dans la rue Notre-Dame-de-Lorette. Le lait venait de Montmartre, où subsistaient encore quelques fermes fréquentées par les artistes impécunieux et les rapins au génie inconnu. Barnabé se demanda furtivement s'il était encore capable d'aimer une femme... Pourquoi Marinette ne le quittait-elle pas ? Elle avait la vingtaine fraîche, elle pouvait trouver mieux. Sans cris, sans larmes, elle pouvait le laisser là, et partir courir le monde dans l'espoir d'une vie meilleure. Au lieu de quoi, tous les jours, elle remontait la rue vers la place de Clichy, puis revenait le soir, souriante, et ce sourire glaçait le cœur de Barnabé. Parfois, il avait des accès de tendresse.

Il se leva, passa ses sous-vêtements et enfila des chaussettes. Il fallait les faire tenir avec un fixe-chaussette, c'était désagréable. Mais, en même temps, il pouvait dissimuler là une arme, quand le besoin s'en faisait sentir. Une fois, en descendant la rue Pigalle, où les bandes d'apaches faisaient la loi sous le régime des gangsters corses, il s'était fait agresser par un repris de justice tatoué. Il n'avait dû son salut qu'au petit colt dissimulé dans son fixe-chaussette, justement.

Il ouvrit la fenêtre en grand. Un tramway, près de l'église, en contrebas, faisait crisser ses roues en métal dur. Des ouvriers plâtriers, échelle sur l'épaule, se dirigeaient vers la place Saint-Georges. Il entra dans la cuisine pour se préparer un café. Un poste de T.S.F., habilement dissimulé dans une crédence à moulures, lui faisait face. C'était le seul luxe de la maison : il s'était payé cette radio avec l'argent d'une prime, l'année précédente. La voix du présentateur de Paris-Ondes annonça : « L'affaire du mont-de-piété de Bayonne grossit. Aux dernières nouvelles, la société l'Urbaine-Vie a voulu se faire rembourser son prêt, soit quatre bons de caisse à échéance du 2 juin, d'un montant total de deux millions deux cent mille francs. Le Crédit municipal a demandé des délais. Le préfet des Basses-Pyrénées, alerté par le ministère du Commerce... » Barnabé filtra le café et le versa dans un grand bol marqué « L.S.K.C.S.Ki », en lettres bleues. Comme tous les matins, il s'émerveilla de l'astuce du concepteur publicitaire qui avait inventé ce slogan : « Eleska, c'est exquis ». Tandis qu'il buvait son café, lui parvinrent les premières notes d'un jazz-band qui faisait les délices du Hot Club de France. Il entendit Marinette se retourner dans un grincement de lit : elle se rendormit aussitôt.

Quelques vieux souvenirs remontèrent à la surface : il se remémora cette table de jeu où, en 1919, il avait gagné quelque argent. Pour lui, c'était inespéré, d'autant plus qu'au commissariat d'Aix-en-Provence, où il avait été détaché, on l'avait classé comme alcoolique, et on ne le supportait qu'à cause de ses médailles. C'est que Barnabé était un héros, un vrai. Grand-croix du Courage, médaille militaire de première classe, chevalier de la Légion d'honneur... L'élimination de deux nids de mitrailleuses allemandes, dans un instant de folie combattante, lui avait valu ces décorations. Il était sorti des tranchées avec un désespoir tenace, une vision sombre de l'humanité et le dédain absolu des honneurs. Il buvait, il jouait, il faisait son travail de policier, c'était bien assez. Il avait tué quatorze Allemands, et ne s'en faisait pas gloire. De la guerre, il avait rapporté un étui à cigarettes, un colt dont il ne se servait presque jamais, un couteau de boucher avec lequel il avait égorgé des sentinelles boches, et une montre particulière, qui s'avérait être une arme. Il en avait aussi rapporté, de cette guerre, une âme brisée.

Quand il monta dans le tramway à l'angle de la rue Lafayette, il jeta sa cigarette. Le trajet était pour lui l'occasion de se rappeler les tâches du jour. Aujourd'hui, il devait enquêter sur cette affaire de faux bijoux écoulés à Marly-le-Roi, et remettre un rapport au divisionnaire. Quand il arriva au bureau, la Citroën du patron n'était pas encore arrivée, et son adjoint Gino n'était pas là. Alice, la secrétaire, passa la tête et lança un « Bonjour ! » sonore. Barnabé grommela quelque chose, s'affala dans son fauteuil et regarda le commissariat : tout y était gris. Alice toqua à la porte.

– Entrez ! Enfin, Alice, tu sais que je suis là !

Alice, un peigne piqué dans son chignon banane, s'avança. Elle lui tendit une tasse de café brûlant.

– Commissaire, y a quelqu'un pour vous.

– À cette heure-ci ?

– Ben oui. C'est une dame. Elle est arrivée très tôt.

– Tu ne pouvais pas la diriger vers un autre policier ?

– Non. Elle vous veut, vous.

– Bon. Fais entrer, alors.

Au moment où Alice tournait les talons, Barnabé la rappela :

– Alice !

– Oui, commissaire ?

– C'est sérieux, cette histoire de vacances ?

– Oui.

– Tu vas où ?

– Peut-être à Chamonix.

– Tu pars avec Lucas ?

– Je ne sais pas.

Alice baissa les yeux. Elle mouilla son doigt, rehaussa ses cils, puis, coquette, se dirigea vers la porte. Barnabé ralluma une cigarette. Elle était bien jolie, cette Alice, comme le répétait tous les jours Gino.

Une femme entra. Vêtue de noir, avec une jupe à mi-mollet, elle avait une apparence de gaieté forcée. Un magnolia, dans ses cheveux, rehaussait un petit chapeau amusant, surmonté d'un minuscule bouquet de fraises. Les yeux étranges, le visage décidé, le nez retroussé, la bouche peinte en cœur, elle chercha où s'asseoir. Barnabé désigna une chaise sur pivot, devant son bureau.

– Bonjour, madame...

– Jeanne d'Arcy. Vous avez peut-être entendu parler de moi...

– Peut-être...

La visiteuse croisa les jambes, dévoilant de minces chevilles gainées de soie. Elle ouvrit son sac, en extirpa un étui à cigarettes en vermeil, et demanda :

– Vous permettez ?

– Je vous en prie.

Barnabé regarda la femme, comme elle insérait une « Le Nil » dans son fume-cigarette, avec des gestes précieux. « C'est une poseuse », se dit-il, notant aussi que les semelles de ses chaussures étaient usées. Mme d'Arcy traversait peut-être des moments difficiles.

Elle tira une longue bouffée, puis, le regard lointain – le commissaire remarqua alors ses yeux pers, l'un bleu, l'autre brun – commença :

– La raison de ma visite, commissaire...

– Oui ?

– ... est délicate. Je compte sur votre discrétion, vous me comprenez.

– Cela va de soi.

– J'insiste.

– Ne craignez rien, je serai muet comme une carpe.

– Bien, dans ce cas...

Elle battit des cils, lâcha une volute, et dit :

– Voilà. J'ai besoin de vous pour retrouver un homme. Il m'a dépouillée, il m'a bafouée, il a disparu.

Barnabé notait. Il demanda :

– Son nom ?

– Quand je l'ai connu, il se faisait appeler Doisy Démont...

– Et maintenant ?

– Il a sans doute changé d'identité...

– Je vous écoute attentivement, madame.

L'histoire commençait en 1919, à l'époque où Barnabé était à Aix-en-Provence. Juste après l'armistice, Jeanne d'Arcy, comédienne (« Ah, c'est donc ça ! » se dit le commissaire), cherchait du travail. Elle en avait trouvé au Café napolitain, sur les boulevards, où elle avait un tour de chant coquin,

avec plaisanteries grivoises et musiques « entraî-
nantes ». Les célibataires en goguette, les séduc-
teurs en manque, les vieux garçons délaissés, les
soldats en permission venaient là boire du chambéry fraise, le cocktail à la mode, et regarder les
jambes des dames sur la scène. L'ambiance était
bon enfant, régulièrement ponctuée par la visite de
la brigade des mœurs, qui veillait à la bonne tenue
de l'établissement, et celle des marlous corses, qui
tenaient leurs femmes d'une main de fer.

Un jour, alors qu'elle était en butte aux menaces
d'un dénommé Fifi La Rocca, Jeanne, qualifiée de
demi-mondaine par l'inspecteur de passage, avait
eu la chance de rencontrer un monsieur bien
habillé, séduisant, drôle. « Il m'a tout de suite plu,
vous comprenez », dit-elle. Il se présenta : « Démont.
Doisy Démont », et, d'un regard, l'affaire fut conclue.
Tous les soirs, on les vit boulevard des Capucines,
enlacés, sortant d'un fiacre pour entrer dans les
cafés-concerts à la mode. Jeanne d'Arcy chantait sur
scène des rengaines comme *Le Roi Maboul*, puis ils
allaient dîner au Chapeau chinois ou à La Broche
dorée, avant de sabler le champagne à Montmartre.
Barnabé remarqua :

– La belle vie, donc.
– Oui, la belle vie.
– Jusqu'au jour....
– Comment savez-vous ?
– Personne ne vient chez moi par hasard, madame.
– En effet.

Elle reprit. Très vite, elle s'était aperçue que
l'argent qui filait entre les doigts de Doisy Démont
provenait de sources mystérieuses, d'« affaires »
dont il ne disait rien. Les gens l'abordaient aux

Folies-Marigny ou au Palais-Royal, lui murmuraient quelques mots, et des billets changeaient de mains.

La liaison avait duré des mois, entrecoupée, pour Doisy Démont, par d'autres amourettes et, pour Jeanne d'Arcy, par une aventure avec une chanteuse lesbienne connue sous le sobriquet de Chouchou. Peu à peu, les disputes avaient commencé.

– Puis il a voulu monter un spectacle au Cadet-Roussel, vous voyez...

– Oui, la boîte de Montparnasse...

– C'est ça. Le chansonnier Maxime Guitton était de la partie. Mais, pour monter l'affaire, il fallait des fonds. C'est alors que M. Démont m'a emprunté de l'argent, en me donnant des bijoux en garantie.

– Combien ?

– Une fortune. Quatre cent mille francs, toutes mes économies. Vous devinez la suite...

– Oui.

Elle secoua la cendre de sa cigarette. Décidément, ce regard étrange avait quelque chose de séduisant. Elle se pencha pour remettre son étui en vermeil dans son sac et, sous l'étoffe du chemisier noir, Barnabé devina la courbe du sein. L'affaire avait vite mal tourné. Jeanne d'Arcy avait tenté de mettre les bijoux en gage : ils étaient faux.

– Retrouvez-le, commissaire.

– Nous le retrouverons, madame, mais vous n'êtes sûrement pas la seule à le rechercher.

– Je sais. Il en a escroqué d'autres que moi...

Elle se leva pour partir. Barnabé nota son numéro de téléphone et promit de donner des nouvelles. Il s'occuperait personnellement de son affaire. Au moment où Jeanne d'Arcy s'engageait dans le couloir sous le regard désapprobateur d'Alice, Gino apparut. La moustache aussi fine qu'un trait d'encre, le costume coupé avec élégance, les cheveux gominés séparés par une raie centrale, Gino, Napolitain d'origine, était venu en France après la guerre. Il s'était plu à Paris, il y était resté.

Gino se retourna sur la visiteuse. Puis, entrant dans le bureau de Barnabé, il lança :

— Nous avons une invitation.

Il posa une lettre à en-tête sur la table.

— C'est Alexis Cortès, l'acteur de cinéma. Il veut vous voir, patron. Il y a du meurtre dans l'air.

– CHAPITRE 2 –

Dans le grand dédale des années d'après-guerre, quand les survivants des tranchées avaient été démobilisés avec un paquet de cigarettes et une poignée de francs dévalués, il n'était resté à Barnabé que la tristesse. Sans cesse, il revoyait la glaise de Verdun et du Chemin des Dames, cette terre mouillée, sinistre, ravagée par des tonnes d'acier, constellée d'obus, amollie par le sang des camarades. Il avait dormi avec les rats, s'était abrité sous des cadavres, avait traversé des orages de feu sans comprendre, sous l'œil d'un haut commandement indifférent à la souffrance des hommes. Hanté par des visions d'apocalypse, Barnabé avait erré dans Paris, sans rien retrouver de ce qui avait fait sa jeunesse. Les années 1900-1914 étaient gommées comme par magie, et sa rétine ne conservait que des vues de charniers, de boue, d'os. Il avait été ami avec un chat, dans la ville de Bar-le-Duc, ils avaient survécu à de terribles bombardements, puis Barnabé était parti avec son régiment, du moins ce qu'il en restait, et le chat avait déserté.

En dépliant la lettre que venait de lui remettre Gino, Barnabé hocha la tête. Il la lissa du plat de la

29

main sur son bureau et, avant d'y jeter un coup d'œil, dit :

– Gino, il ne faudra pas oublier de s'occuper de l'affaire de Marly-le-Roi.

– Les faux bijoux, patron ?

– Exactement. Prends la Citroën et vas-y. Fais bien attention. Il y a des marlous dans le coin. Prends ton casse-tête, enfin, tu sais ce que tu dois faire...

– Oui, patron. J'emmène Jahandier avec moi.

– Bonne idée, Gino. Il est de taille.

– Et la dame qui vient de sortir... ?

– Jeanne d'Arcy ? Je ne sais pas. Une banale affaire d'escroquerie. Rien de nouveau, juste du sordide. Je te raconterai. Maintenant, vas-y. Et fais attention. Avec la chaleur, les pneus de la voiture tiennent mal, sur les pavés en bois...

– Ils ont été remplacés en 1911, patron, après la crue de la Seine.

– Je sais, mais sur les Grands Boulevards, il en reste encore. Et ne discute pas, pars, bourricot.

Gino savait que, derrière l'air bourru du patron, il y avait une grande préoccupation : ramener ses hommes sains et saufs. C'était la leçon de la guerre : les gradés se fichaient des hommes, soit. Mais lui, Barnabé, n'était pas comme ces aristocrates du massacre. Il tenait à ses bonshommes.

La lettre n'avait pas d'en-tête.

Monsieur,
J'aimerais tant vous rencontrer car, Monsieur le commissaire, il y a eu meurtre ! Et je refuse d'en dire davantage sinon à vous seul. Je m'inquiète car je pourrais être impliqué personnellement et me

trouver en grand danger. Je ne parviens pas à comprendre le fin fond de l'histoire, mais je pressens beaucoup de choses terribles ! Et peut-être que vous, avec votre vaste connaissance du crime, vous réussirez là où j'ai échoué.

Considérez donc ma lettre comme une invitation à venir dans mon chalet de Chamonix, dans les Alpes, le vendredi 22 juin pour le dîner. Je sais que je vous demande beaucoup. Mais je vous en supplie, ne me faites pas faux bond. C'est une question de vie ou de mort... Une question de meurtre.

Je compte sur vous.
Très cordialement,

Alexis Cortès

On était mardi. Y avait-il réellement urgence ? Et pourquoi Cortès ne s'était-il pas adressé au commissariat de son coin ? Barnabé reposa la lettre et cria :

– Alice !

La frimousse de la secrétaire apparut.

– Alice, va me chercher au sommier tout ce qu'il y a sur Alexis Cortès.

– L'acteur ?

– Bédame ! L'acteur, bien sûr !

– Pas besoin d'aller chercher des dossiers pour ça, patron. Ni de faire intervenir le bertillonnage, avec les empreintes digitales, toutes ces nouveautés...

– Comment ça ?

– C'est simple. Interrogez-moi.

Ses yeux pétillaient.

– D'accord. Je t'interroge.

– Ah mais, pas comme ça ! Je veux être traitée comme un témoin important !

Son ton de titi, son allure de joyeuse gamine des faubourgs donnaient à Alice Calmat un charme irrésistible. Elle plissa sa robe, s'assit sur une chaise, croisa les jambes et leva les yeux au ciel. La bougresse ! Elle était jolie, et elle le savait !

– Bon, Alice, qui est Cortès ?

– Ben voilà. C'est un acteur très prisé, né en 1883 à Arcachon. Il a les yeux sombres, de hautes pommettes et les cheveux plaqués. Pas de moustache ni de barbe. Il a débuté au cinématographe en 1910, dans *Le Pont sur l'abîme*, un feuilleton de Louis Feuillade, puis il a joué dans *Manon de Montmartre*, *L'Enfant de la roulotte* et *L'Aiglonne*.

– Mais comment tu sais tout ça ?

– Je lis *Ciné mon roman*, patron. Toutes les semaines. C'est vraiment bien. Il y a...

– Bon, bon. Continue. Qu'a-t-il fait, ton Alexis Cortès, depuis la guerre ?

– Il a joué dans plein d'autres films, et il en a un à l'affiche en ce moment même : *Mademoiselle Spahi*. Je vous le recommande. C'est... Bon, je vois à votre air que vous voulez que je continue. Je vous précise qu'il a fait un séjour en Amérique, où il a tourné quelques films, en Californie, dans une petite ville nommée Hollywoodland. Il paraît qu'on a laissé tomber le « land », maintenant. On dit « Hollywood ». Puis Alexis Cortès est revenu à Paris, où il s'est installé dans un superbe appartement avenue Mozart. Bref, il est beau et riche.

– Des biens ?

– Il a investi, dit-on, sagement, dans la pierre, du côté de Bayonne.

– Marié, des enfants ?

– Non...

– Non ?

– Non.

– Allez, Alice ! Ce n'est pas le moment de me cacher des choses.

– On raconte... Mais ce n'est qu'une rumeur, n'est-ce pas...

– On raconte quoi, Alice ?

– Que...

– Oui ?

– Qu'Alexis Cortès est connu, dans certains milieux, sous le sobriquet d'Alexine. Voilà, je l'ai dit.

– Il aime les garçons, donc. C'est un inverti.

– Ce que les gens disent, vous savez...

Elle avait pris son air boudeur. À certains moments, comme ça, quand un rayon de soleil du matin venait se poser sur elle, ma foi... Il lui fit signe de s'en aller. Elle lança encore :

– Ah, je vous signale que c'est demain que je pars en vacances.

– Très bien, très bien. Où ça ?

– Je ne sais pas. On verra...

Une vague de mélancolie le submergea, ce terrible cafard des hommes qui ont survécu par miracle. Dans ces moments-là, il devait boire. Boire, ou rester seul. Il resta seul dans son bureau, la tête entre les mains. Les souvenirs remontaient.

Un jour de soleil, à Aix-en-Provence, avant la guerre, il avait rencontré une femme. La conversation s'était engagée de façon simple : sur la place Saint-Jean où il demeurait dans une pension tenue par une ancienne lavandière, il avait heurté une

33

passante. Sans doute était-il gris ce jour-là, gris de ce vin du Midi qui tourne les têtes. En s'excusant, il s'était aperçu qu'elle habitait dans le même immeuble que lui, dans une chambre sous le toit. Elle avait un accent. Il demanda :

– Vous êtes d'où ?

– De Moscou.

Ils s'étaient séparés ainsi, elle avec son cabas de fruits et lui avec sa tête de soucis. Les jours suivants, il se surprit à penser à elle : elle avait des yeux clairs, si clairs... Une Moscovite ! On disait que là-bas, le vent de la révolution avait soufflé. On parlait de grèves, de mutineries, de pillages. Sans doute était-ce ainsi que la jolie inconnue avait débarqué en France... Qui sait ? Avec sa natte blonde et sa blouse bouffante, elle était ravissante.

Barnabé posa quelques questions, à droite et à gauche. On disait que la « demoiselle russe » recevait des cartes postales de là-bas, qu'elle en envoyait d'ici. Elle fredonnait des airs slaves, parlait un français impeccable quoique coloré, donnait des leçons de piano aux enfants de la ville. On le lui connaissait ni parents ni liaison. Pendant quelques semaines, Barnabé avait retourné l'idée dans sa tête : comment aborder, sans la froisser ni l'effaroucher, la jolie Russe ?

C'est alors qu'on lui confia une enquête sur des voitures volées : les autos commençaient à supplanter les carrioles à chevaux, dans la région, et leur trafic rapportait gros. De son côté, le bandit Bonnot avait inventé le hold-up en automobile.

Au retour de cette mission, Barnabé aborda la jeune femme, qui revenait d'une leçon de piano.

– Bonjour. Cette fois-ci, je ne risque pas de vous bousculer.

Il avait soulevé son chapeau, laissant échapper une mèche de cheveux. Un oiseau en avait profité pour souiller le beau melon, faisant éclater de rire la passante. Leur histoire d'amour était née là. Elle lui avait raconté ses origines. Son grand-père paternel, Vladimir Petrovitch Oleroff, était acquéreur d'armes pour le tsar. Il avait été envoyé à Paris en 1870 et, surpris par la guerre, était resté en France, dépensant sa fortune en petites femmes et en manuscrits de poèmes rares. Il avait croisé Rimbaud lors de l'incendie du boulevard Saint-Germain. L'autre grand-père, le maternel, Piotr Pavel Patoundzé, était le boucher de la Cour. Jaloux d'un rival qui avait l'œil sur sa femme, il l'avait transformé en baril de salaison. Pour échapper aux poursuites, il s'était enfui en France. Puis, rongées par les dettes et les maladies, les familles s'étaient éteintes. Eleanora était restée seule.

Six mois plus tard, l'inspecteur Barnabé tenait Eleanora par la main. À la terrasse du Tout va bien, le café de la place Saint-Jean, il avait enlevé ses gants, avait posé un genou en terre (une de ses petites guêtres blanches s'était alors dégrafée) et avait levé les yeux. Elle lui avait demandé :

– Qu'est-ce que tu veux, André ?

– Toi. Veux-tu m'épouser ?

Eleanora sourit, caressa sa natte, et dit :

– Oui.

Pour la première fois de son existence, Barnabé pleura.

Il ressentait la délicieuse certitude d'une vie qui s'offrait à lui avec la femme qu'il adorait.

Dans son bureau, Barnabé serrait les poings. Tous ces souvenirs... Ils l'assaillaient sans cesse, le laissant exsangue. Il décida de s'attaquer à une tâche concrète. Il ferma sa veste, se leva, attrapa son chapeau et, passant devant Alice qui faisait semblant de téléphoner, sortit dans la rue. Tout de suite, le bruit des sabots des chevaux, les cris des petits vendeurs, les cahots des carrioles ferrées, tout l'agressa. Il sauta dans le tramway, montra sa carte de police au contrôleur et regarda vaguement autour de lui. Des servantes à tablier allaient faire leurs courses, des employés à melon brossé prenaient l'air important, un monsieur à lavallière – peut-être un artiste – tenait par la main une petite fille qui serrait un cerceau. Dans l'air de l'été, il y avait une légèreté à laquelle il était sensible. Un vendeur de journaux passa en criant : « Stavisky, du nouveau sur Stavisky ! L'Olympique de Lille, champion de France ! » Sa voix se perdit dans la foule.

Quelque chose tracassait Barnabé. Une sorte de présence obscure lui pesait sur les épaules. Il se retourna pour voir si on l'observait. Mais non : un gros homme à nez rouge, avec un paquet sur les genoux enveloppé dans une serviette à carreaux, suait sur la banquette, et une dame à grand chapeau, le visage pincé, détourna le regard, visiblement agacée. Un épicier avec ses œufs, sans doute, et une chaisière égarée, se dit Barnabé. Mais le malaise demeurait. Il se renfonça dans son siège, et la rêverie le reprit.

Leur nuit de noces avait été un bonheur total. Eleanora s'était endormie au petit matin, et Barnabé l'avait regardée dormir, effrayé d'avoir à la perdre pendant ces précieuses heures de sommeil. Assis contre le bois du lit, il avait laissé la nuit s'évanouir, persuadé que les miettes du bonheur sont irremplaçables et qu'il ne fallait pas les dissiper.

Quand il se réveilla, c'était Eleanora qui le regardait. Ils prirent leur déjeuner ensemble, sur une terrasse fleurie, et toute la Provence chantait pour eux.

Une année s'était écoulée. Il jouait encore au poker, mais peu. Il buvait de temps en temps, mais raisonnablement. Ils avaient aménagé une grande maison donnant sur un jardin de curé, dans le village de Cadenet, en bordure de la Durance. Ils se côtoyaient, s'aimaient, et ne demandaient rien de plus.

Puis Eleanora fut enceinte. Les neuf mois s'écoulèrent à la fois lentement et rapidement. Le ventre de la jeune femme s'alourdissait de jour en jour, et Barnabé n'arrivait pas à croire qu'il allait être père.

Une nuit d'automne, les contractions commencèrent. Le bébé s'annonçait avec deux semaines d'avance. Au début, Eleanora avait cru à une fausse alerte. Puis tout s'était déréglé. Le temps, les douleurs, les cris. À la fin du premier jour, la future mère criait qu'elle en avait assez. Chaque heure, chaque minute en valait dix. Elle se débattait sous les yeux de son mari qui ne savait plus quoi faire. Il restait immobile et tremblant à ses côtés.

Enfin, après une nuit de cauchemar, le bébé était né dans un flot de sang qui ne tarissait pas. Barnabé était sorti de la pièce. Le médecin et la sage-femme qui étaient venus le rejoindre semblaient débordés. Au début, Eleanora entendait leurs cris :

– Vite, vite !

Elle s'épuisait, perdait tout intérêt pour ce vacarme. Elle s'en allait.

Elle s'en alla. Elle ferma les yeux et mourut.

Barnabé resta seul. Ravagé de douleur, il fit simplement signe à la sage-femme, et tourna les talons, refusant de voir le bébé. Il murmura, d'une voix rauque :

– Donnez-le, faites-le adopter.

La sage-femme essaya de lui dire quelque chose. Il posa simplement le doigt sur ses lèvres, et partit comme un fuyard. La sage-femme, impuissante, fatiguée, le regarda claquer la porte, et prononça ces mots étranges :

– Il ne saura donc jamais...

En fait, Barnabé avait la ferme intention de se suicider. D'où ses derniers mots pour l'enfant, dont il ne savait même pas si c'était un garçon ou une fille : « Faites-le adopter... »

Il s'était donc soûlé « à mort » et, malheureusement, avait survécu. Mais il n'était pas revenu pour autant prendre des nouvelles du bébé. Le tenait-il pour responsable de la mort d'Eleanora ? Il ne se posait même pas la question. Son amour disparu emplissait son esprit d'un vide démesuré, où plus aucun sentiment ne semblait pouvoir prendre place.

*
**

Il arrivait à destination. La gare Montparnasse, massive, se dressait devant lui. Toute une foule de marins bretons, de vivandières en cheveux chargées de bagages, de matelots en goguette s'activait dans une sorte de grondement sourd. Il y avait là des pierreuses qui tendaient la main, des petites prostituées à peine débarquées de Lorient ou de Saint-Malo, des acheteurs de bouche qui venaient approvisionner en huîtres les restaurants de la capitale, des capitaines qui se dirigeaient vers les bureaux d'affrètement. Derrière la gare, on était presque aux limites de Paris. Quelques bicoques jouxtaient les derniers bâtiments haussmanniens, mais personne ne voulait habiter ici, dans ce quartier entièrement dévolu au trafic avec la Bretagne, où l'on pouvait se rendre en deux jours grâce aux nouvelles locomotives à vapeur.

Toujours en proie à un sombre pressentiment, Barnabé remonta la rue de la Gaîté, où se situaient plusieurs salles de spectacle, pour certaines mal famées. Quelques bordels invitaient le chaland à d'autres découvertes, et un vague commissariat, visiblement assoupi, n'était là que pour meubler un décor d'un pittoresque assez convenu. Au coin d'un petit square où s'étiolaient deux platanes, Barnabé aperçut le Cadet-Roussel. Sous un grand porche rouge, à cette heure de la matinée, on ne voyait que quelques affiches braillardes et des dessins coquins.

Un chanteur du genre « osé » s'y produisait. Il était en retard sur son temps : la mode était passée, et les textes grivois ne faisaient plus recette. En ce mois de juin 1933, la faveur du public allait aux sonorités plus folles, aux spectacles exotiques. Tout Paris ne parlait que de Joséphine Baker, dont les fesses sublimes provoquaient l'ardeur des pères de famille, même en province.

Il entra dans la salle. Un magicien en chemise répétait quelques pauvres tours sur la scène. Barnabé lui demanda :

— Excusez-moi. Je peux voir le propriétaire ?

— Roussel ? Il est là, vers le bar. Je m'appelle Splendini. Vous êtes impresario ?

— Non, non. Je ne fais que passer.

— Ah. Revenez voir mon tour, si vous voulez.

Barnabé se dirigea vers le fond de la salle. Les fauteuils, selon l'usage, faisaient place à un fumoir où les habitués pouvaient rester debout à bavarder en regardant le spectacle, ou s'enquérir du prix de la passe, avant de disparaître dans une loge sombre avec une jeune femme.

Un homme maigre, les joues creuses, faisait des additions. Barnabé l'aborda.

— Vous êtes monsieur Roussel ?

— Qui le demande ?

— Le commissaire Barnabé.

— C'est moi. L'un de mes employés a fait quelque chose ?

— Non.

— Ah, je vois. Vous venez pour... affaire.

— Non, je ne viens pas pour toucher un pourcentage, rassurez-vous.

— Loin de moi pareille idée, commissaire.

Roussel posa son crayon, visiblement rassuré. Un tatouage de sirène apparut sur son poignet. Roussel tira sur sa manche pour le dissimuler.

– Que puis-je pour vous, commissaire ?

– Vous connaissez une certaine Jeanne d'Arcy ?

– Évidemment. Elle faisait un numéro de déshabillage artistique, il y a quelques années, avec l'orchestre Kip-Kap. Que savez-vous d'elle ?

– Pas grand-chose, je l'avoue.

– Eh bien, commissaire, je vais vous donner quelques renseignements. À charge de revanche, n'est-ce pas ?

– Nous verrons. Parlez.

– Jeanne d'Arcy s'appelle en réalité Jeanne Durand. Elle a débuté dans un café-concert des Capucines avant de sombrer, un temps, dans la consommation d'héroïne en compagnie d'une chanteuse nommée Chouchou, avec qui elle a eu une aventure. Puis elle a rencontré Maxime Guitton, le chansonnier, et il lui a présenté un croquant, un type avec de l'argent, un certain Doisy Démont. Ils se sont mis ensemble, et on les voyait souvent au Vénusiana de la rue Caulaincourt, derrière le maquis de Montmartre. Un jour, Doisy Démont a dit à Jeanne qu'il avait mis en gage une bague de diamant : elle lui a confié quinze mille francs pour la récupérer, en lui disant : « Fais vite ». Il a fait vite, mais il est revenu sans bague et sans argent...

– Un voyou classique, quoi.

– Oui. Classique. Sauf qu'il a réédité le coup. Après la bague, ce fut une Peugeot Torpédo : Jeanne avança quelques billets à ordre pour une valeur de dix mille francs. Doisy Démont prit la voiture et la revendit aussitôt...

– Joli coco, votre Démont. Je le trouve où ?

Roussel tapota avec son crayon sur le bois laqué du bar. Splendini avait fait place à un dresseur de chiens, qui faisait marcher au pas des caniches teints en rose. Barnabé sortit de sa poche de poitrine son étui à cigarettes, grand comme une petite assiette. Ce souvenir des tranchées, fabriqué par un poilu dans le cuivre d'une douille d'obus, ne le quittait pas. Le gars était mort peu après y avoir gravé son sobriquet : « Java ». Barnabé n'offrit pas de cigarette à son interlocuteur. Roussel alluma l'une des siennes, au goût âcre.

– Attendez, attendez... Il y a eu aussi l'achat d'un petit cabaret, Le Cagibi, et la location d'un appartement. À chaque fois, la malheureuse Jeanne se faisait plumer.

– J'imagine qu'elle l'aimait.

– Exactement. Puis il l'a persuadée d'investir dans le spectacle, en l'occurrence au Cadet-Roussel. Elle s'est endettée.

– Pour quatre cent mille francs ?

– Exactement.

– Et... ?

– Et, palsambleu ! Il a disparu avec l'argent !

– C'est ça.

– Et cette chère Jeanne voudrait récupérer les sous, commissaire ?

– On ne peut rien vous cacher, monsieur Roussel.

– L'ennui, c'est que les sous, je n'en ai jamais vu la couleur. Doisy Démont a disparu. Pour de bon, cette fois-ci.

L'un des chiens, sur la scène, se mit à japper. L'orchestre s'arrêta. Une lampe du bar clignota avant de s'éteindre. Il régnait dans cette salle une atmosphère de tabac froid, d'alcool de mauvaise qualité, d'espoirs déçus, de cocufiages tarifés.

Barnabé sortit sa montre de son gilet. Bigre ! Il était presque une heure. Il irait déjeuner au coin de la place Montparnasse, à la brasserie Dupont. Il aimait l'endroit : il y régnait une agitation insensée dans des relents de bière, des odeurs de choucroute et de sciure qui garnissait le parquet jamais ciré.

– Une dernière question, Roussel.

– Si je peux répondre...

– Si vous ne pouvez pas, ce serait ennuyeux. J'imagine que vos amis de Ménilmontant ne pourront rien pour vous.

– Que voulez-vous dire, commissaire ?

– Que les hommes de la Sirène reviennent de Cayenne, du bagne. Me balade pas, Roussel. Tu es un pégriot. T'as été là-bas, t'en es revenu, tiens-toi à carreau.

L'ex-bagnard baissa la tête. Une peccadille, une seule, et il était de nouveau bon pour la Guyane. Il en était revenu par miracle, et avait retrouvé les anciens de la bande de la Sirène à Ménilmontant. Il fallait rester dans les rails.

– Bon. On vous la fait pas, à vous.

– Non.

– D'accord. Ce que je vais vous dire reste entre nous.

– Si je le veux.

– Plein de gens cherchent Doisy Démont. Moi le premier. Mais nous sommes du menu fretin. Lui, c'est un gros poisson.

– Comment ça ?

– Ben, Doisy Démont, c'est le faux blaze d'Alexandre Stavisky.

L'homme le plus recherché de France, l'escroc aux mille affaires, l'ami intime des ministres et des députés, celui qui faisait trembler la République des corrompus et des vendus, le millionnaire aux mains percées ? Stavisky ? Décidément, Barnabé avait l'art de se fourrer dans des affaires impossibles. Toutes les polices de France avaient ordre de rechercher « Monsieur Alexandre ». Il avait escroqué des banques, des assurances et des sociétés de crédit tout en menant la grande vie, et tenait table ouverte avec sa femme Arlette, recevant les plus hauts dignitaires de l'État : le député du Maine-et-Loire Edmond Boyer, le ministre des Colonies Albert Dalimier, le procureur de la République Georges Pressard, le préfet de police Jean Chiappe, le directeur de la Sûreté générale Georges Thomé... Même Édouard Daladier, ministre de la Défense nationale, avait été reçu chez les Stavisky. Le scandale promettait d'être énorme.

Barnabé, perplexe, gravit les quelques marches qui menaient à la rue de la Gaîté. Il était heureux de laisser le Cadet-Roussel derrière lui, et l'ambiance un peu sordide qui y régnait. Il cligna des yeux, le soleil l'aveuglait. Il sentit qu'on le regardait. Une femme accorte, la main sur la hanche, le chapeau incliné sur le front, lui lança :

– Alors, chéri, on monte ?

Il haussa les épaules et entendit :

– Oui, bon, t'es de la maison poulaga, mais ça empêche pas les petits plaisirs... Tu viens ? On m'appelle la Loustiquette, tu vois pourquoi ? Parce que je suis une drôle de loustic, voilà...

Il allait répliquer, quand un homme se précipita sur lui.

Barnabé vit le couteau sortir du paquet enveloppé dans une serviette à carreaux, se demanda où il avait vu ce gros homme au nez rouge, et sentit un coup violent à la hauteur de la poitrine. Il tomba en entendant la fille qui gueulait :

– Merde ! Il l'a saigné !

Le déjeuner chez Dupont attendrait, se dit-il avant de sombrer dans l'inconscience.

– CHAPITRE 3 –

Quand il se réveilla, il eut le sentiment d'être dans un bain de boue. Les membres gourds, la tête lente, le regard brouillé, il tenta de se redresser dans le lit. Une légère douleur lui rappela qu'il était... Qu'il était quoi ? Malade ? Blessé ? Mort peut-être ? Il reconnut sa chambre, avec l'affreux papier peint à fleurs que Marinette lui avait fait poser. Il tenta de faire fonctionner les rouages de sa mémoire : ah oui, il s'était rendu dans cette boîte, comment déjà ? Le Cadet-Roussel, avec le magicien Splendini et les chiens roses... Il baissa les yeux sur sa poitrine : une longue éraflure lui zébrait le côté gauche. Mais comment... ?

– Ah çà, tu peux dire que tu as de la chance !

La voix de Marinette se détachait clairement du brouhaha ambiant provenant de la fenêtre. Barnabé voyait le toit de l'église Notre-Dame-de-Lorette, et le soleil qui se couchait. Il avait envie de boire un alcool fort. Il regarda Marinette, qui lui souriait. Il demanda :

– Que s'est-il passé ?

– Tu as été agressé. Par chance, la lame t'a juste égratigné. Tu peux remercier le Bon Dieu.

Il n'avait envie de remercier personne. Il se sentait d'une humeur de chien. Un gros homme au nez rouge avait tenté de lui faire la peau. Était-ce un repris de justice qui lui en voulait pour une affaire ancienne ? Un vengeur qui s'en prenait à l'autorité ? Ou, plus simplement, quelqu'un qui souhaitait que l'une de ses enquêtes n'aboutisse pas ? Barnabé se sentait à cran.

– C'est ton étui à cigarettes qui t'a sauvé, tu sais.

Marinette lui tendit l'objet. Sur le couvercle de cuivre, le mot « Java » avait été entaillé. Visiblement, le coup avait été porté avec force, pour tuer. Il demanda :

– Mais pourquoi n'a-t-il pas continué ?

– Une fille, dans la rue, l'a presque assommé avec son sac à main.

– Une fille ?

– Oui, une prostituée. Elle était là par hasard. Elle a appelé le commissariat. C'est Gino qui t'a ramené à la maison, de l'hôpital. Quand ils ont vu que tu n'avais rien, ils t'ont mis dans un taxi et dans ton lit.

– Qui ?

– Gino et l'infirmière, tiens. Ils ont noté le nom de la fille : une Marie Robinet, dite la Loustiquette. Fichée par les Mœurs. Tu peux lui dire merci.

– Je n'y manquerai pas.

Il ferma les yeux. Il revoyait la fille, courte sur jambes, assez trapue, une mâchoire large, les cheveux tirés en arrière sous un chapeau blanc. Quand il irait à Montparnasse, il la chercherait. Et peut-être que Roussel savait qui elle était...

Il avait dû somnoler. Il ouvrit les yeux et vit Marinette, devant lui, une assiette de soupe dans les mains. Elle l'irritait, avec sa façon de toujours être aux petits soins, de se rendre indispensable. Nul n'est indispensable, se dit-il. D'un geste, il refusa la soupe. Il avait envie d'une moules-frites, avec un verre de jurançon sec. Il se détourna. Marinette lui suggéra :

– Si tu ne peux pas dormir, pourquoi ne prends-tu pas un léger somnifère ?

– Tu ne dors pas, toi non plus ?

Il avait le ton rogue. Elle tenta de désamorcer l'orage qui, elle le sentait, menaçait. Avec douceur, elle se rencogna dans un fauteuil :

– Si tu dormais, je pourrais dormir moi aussi ! Prends un somnifère, André.

– Tu sais bien que je déteste ça ! Demain, je ne serai pas moi-même et je ne peux pas me le permettre. D'ailleurs, je dois aller en province.

– Prends-en un quand même !

– Non. Tu veux que j'aille coucher dans le salon ?

Il détestait le ton mielleux de Marinette. Il aurait préféré qu'elle se mît en colère. Elle était de ces femmes soumises qui marchent sur la pointe des pieds pour ne pas déranger. Comme si elle sentait qu'une seule manœuvre de sa part suffirait à l'éloigner un peu plus. Elle finissait, à force de vivre dans cette peur latente, par avoir l'impression d'exister en sourdine.

Avec elle, la vie était fade. Il fallait qu'il dorme.

Mais il ne se rendormit pas.

Le matin, il s'habilla lentement. Une autre journée ensoleillée s'annonçait. Marinette faisait semblant de dormir. Il plia quelques affaires dans une petite valise, quitta l'appartement et passa par le commissariat. Alice était absente, déjà en vacances. Il ne la reverrait pas avant une semaine. Il entra dans son bureau, prit la lettre de Cortès, la plia et la mit dans sa poche sans s'asseoir. Gino, très chic dans un costume d'été avec une martingale cousue dans le dos, entra :

– Ça va, patron ?

– Ça va, ça va. Et ton voyage au pays des bijoux ?

– On a une piste, avec Jahandier. Ça remonte vers Bayonne. On verra, on va suivre jusqu'au bout.

– Fais bien attention à toi, Gino, hein !

– Ne vous inquiétez pas, patron, les coups, ça me connaît. Vous partez ?

– Oui, je vais à Chamonix.

– Pour l'affaire Cortès ?

– Oui. Je me demande ce qui se passe.

– Vous vous sentez d'attaque, patron ?

– Juste une éraflure, rien du tout. Je file. J'ai un train à dix heures.

Il sortit en coup de vent. Dehors, il regarda autour de lui. Personne ne le suivait. Il héla un taxi et se dirigea vers la gare de Lyon.

Quand il arriva à Chamonix, la nuit était tombée. Quelques chalets, silhouettes obscures sur le flanc de la montagne, se dressaient dans l'obscurité. L'hôtel des Grands Pins, illuminé, jetait des rais de lumière sur les arbres. On entendait une valse lente que jouait un orchestre paresseux. Quelques couples dansaient, dans une atmosphère de fin de règne. D'ici, on pouvait se rendre jusqu'au pied du mont Blanc, à skis, par temps clair. Mais au mois de juin, la neige avait tendance à fondre, là-haut, laissant des traînées de poussière de basalte. L'effet était étrange : la neige était noire.

Barnabé rajusta sa cravate avant d'entrer dans le hall. Un comptoir en bois ouvragé accueillait les visiteurs. À droite, une porte ouverte invitait les clients à passer dans le salon-bibliothèque : deux tables basses, quelques fauteuils en cuir, des étagères pleines de livres reliés donnaient à l'ensemble une allure de vieux palace passé de mode. L'odeur de cuir et de résine qui régnait était agréable, propre. Il monta dans sa chambre et s'endormit très vite au son d'un paso doble lointain.

Le lendemain, lorsque le commissaire eut fait sa toilette, ouvert les volets et noué sa cravate, il inspira un grand bol d'air et descendit. Le soleil passait à travers les sapins, transformant les ruisseaux en coulées d'argent. À peine arrivé dans la salle du restaurant où chocolat et café chauds attendaient la clientèle, il entendit une voix connue :

– Matinal, pour un couche-tard comme vous !

Déconcerté, il se retourna un peu brusquement, ce qui lui rappela la vilaine estafilade sur sa poitrine. Il grimaça.

– Eh bien, si c'est tout l'effet que ça vous fait !

Une silhouette de femme, assise en contre-jour au fond de l'un des fauteuils de la bibliothèque, les jambes croisées, attira son regard. Il s'approcha, incrédule.

– Mais...

– Pas de mais ! Je suis là, en vacances !

Alice lui souriait. Il prit une chaise.

– Si je m'attendais...

– Le petit déjeuner est servi, monsieur le commissaire.

Il remarqua alors la tasse et la cafetière. Alice lui versa un café. Elle portait un chandail à col roulé, et les boucles brunes de sa coiffure retombaient avec grâce sur sa nuque. Un bouquet de roses jaune pâle ajoutait une note de romantisme à cette rencontre inattendue. Il goûta une gorgée de café, et, se reprenant, demanda :

– Qu'est-ce que tu fais là ?

Alice promena ses yeux noirs et pétillants sur la salle. Elle avait l'air d'être à la fête.

– C'est un interrogatoire, commissaire ?

– Bédame !

– Je n'ai jamais compris ce que vous vouliez dire par là, commissaire.

– C'est ma façon de dire : « Ben, dame ! »

– C'est comme quand on dit : « Ah ouiche » pour « Ah oui ! », donc ?

– Exactement.

– Eh bien, bédame, je suis arrivée hier soir, tôt. Heureusement que je savais où vous alliez !

– Mais, et ton... ami... Lucas ?

– Oh, lui !

Le compagnon d'Alice était visiblement au purgatoire. Peut-être même sur la voie de sortie. D'un geste d'indifférence, Alice balaya toute velléité de conversation sur ce sujet. Elle reprit :

– Comprenez-moi : je n'allais pas laisser passer une si belle occasion de me rapprocher d'une grande vedette de cinéma comme Alexis Cortès ! De plus, vous avez besoin de moi !

– Besoin de toi ?

– Mais oui ! On ne sait jamais ! Avec votre blessure grave...

Elle éclata de rire. Il posa sa tasse et chercha la lettre de Cortès dans sa poche.

– « Je vous en supplie, ne me faites pas faux bond. C'est une question de vie ou de mort. » Bigre, il a l'air sérieux, ton Cortès. « Il y a eu meurtre », je me demande bien quel genre de meurtre...

– Vous verrez... En tout cas, moi, j'ai remarqué que la lettre a été glissée avec le courrier du soir, et qu'elle n'avait pas de timbre. Ça a suscité ma curiosité, alors je l'ai lue.

– Indiscrète !

– Peut-être. Mais je me suis dit que quelques jours de vacances à la montagne ne me feraient pas de mal, voilà tout.

Elle lui alluma sa cigarette et lui tendit une autre lettre.

– Elle est arrivée pour vous ce matin.

Il regarda l'enveloppe. Elle avait été décachetée.

– Tu l'as lue ?

– Bédame !

La missive contenait des instructions un peu étranges. Alexis Cortès demandait au commissaire d'arriver à la nuit tombée au chalet des Asphodèles, et de respecter à la lettre ses directives.

Barnabé attendit donc en lisant les journaux et en écoutant les airs de jazz-band qui passaient sur le gramophone de l'hôtel. Le soir venu, il endossa sa veste, mit son chapeau, s'assura que son Remington était dans sa poche, et s'installa au volant de la 402 Peugeot Éclipse prêtée par l'hôtel. C'était une belle voiture noire, dont l'aspect sérieux était adouci par des rembourrages en tissu pêche. Il enclencha les vitesses et se mit en route. Parvenu au bout d'une petite route au chalet des Asphodèles, il fit deux appels de phares, comme demandé. Rien ne se passa. Il renouvela les appels. Rien. L'endroit était reculé, et un ruisseau passait sous un petit pont en pierre, nivelant ce qui restait de neige noire.

Curieusement, le chalet semblait désert. Tout avait l'air abandonné. Il commença à s'impatienter. Il alluma une cigarette, caressant l'étui qui lui avait sauvé la vie, sortit de la voiture et s'avança vers la demeure. Un beau chalet tout en bois sculpté, des balcons partout. La porte du garage était fermée et les fenêtres ressemblaient à des orbites vides et sombres. Barnabé jeta son mégot sur un reste de neige, s'avança derechef. Hésitant devant les marches qui menaient au perron, il restait là, sur la chaussée, quand une voiture surgie de nulle part fonça sur lui, tous feux éteints. Il bondit sur le côté, esquivant l'aile gauche de justesse et tomba dans l'herbe, à côté d'une grosse poubelle.

C'est là qu'il vit la voiture faire demi-tour dans un crissement de pneus. Pris dans le faisceau des phares qui venaient de s'allumer, il se releva en vitesse et escalada tant bien que mal le petit mur de pierres sèches contre lequel la voiture cherchait à l'écraser. De l'autre côté, à l'abri, il se laissa choir sur le gazon et écouta le moteur qui s'éloignait. Il retrouvait peu à peu ses esprits. Sa blessure le faisait légèrement souffrir, et il s'aperçut que sa chemise était souillée d'un trait de sang. Il vit les phares disparaître et comprit que son agresseur abandonnait la partie. Silencieusement, il revint vers sa propre voiture, à bout de souffle, le cœur battant. Il se recroquevilla quelques secondes dans le siège, puis se ressaisit.

En pénétrant dans le hall de l'hôtel des Grands Pins, le commissaire était de méchante humeur. Deux fois en deux jours, c'était assez. Il se dirigea vers le bar, commanda un chambéry fraise et s'assit. Alice, qui lisait *Ciné mon roman*, leva la tête et l'aperçut. Elle vint le rejoindre. Le voyant ébouriffé et rageur, elle demanda :

– La pêche a été bonne ?

– Pas la peine de faire de l'humour, Alice. On m'attendait, et pas pour me souhaiter la bienvenue.

– Que s'est-il passé ?

– Une agression caractérisée contre un représentant de l'ordre.

– Le représentant de l'ordre, c'est vous, patron ?

– Un peu, oui. Tu veux un verre ?

Elle opina. Il lui raconta. Peu à peu, son calme revenait. Ses idées se mettaient en place. Il écrasa sa cigarette, en ralluma une autre. Alice semblait soucieuse. Elle prit la parole.

– Pendant que vous étiez en train de vous amuser à faire la corrida avec des voitures inconnues, moi, je me suis renseignée. Et ce que j'ai appris n'est pas très rassurant.

– Dans notre métier, ce qu'on apprend l'est rarement.

– Mais je suis secrétaire, moi, pas policière.

– D'accord, mais qui t'a demandé de venir ici ?

Le visage de la jeune femme s'empourpra légèrement. Depuis un an, elle avait eu le temps de
s'accoutumer aux mœurs étranges du commissariat
du 9ᵉ arrondissement. Tous les matins, elle prenait
le tramway avec les modistes, les petites mains, les
blanchisseuses, les nounous, et s'installait, sitôt
arrivée, à sa place. Son aventure avec un jeune
maçon, Lucas, était en train de se défaire et elle
regardait les hommes qui l'entouraient avec
d'autres yeux. D'ailleurs, elle avait toujours eu un
faible pour Barnabé qui, en ce moment, s'épongeait
le front. Elle but son verre de chambéry et reprit :

– Une jeune femme qui a été assassinée, le mois
dernier, dans le coin. Une certaine Mireille Laborde.

– Et quel rapport ?

– Je ne sais pas. Mais...

Une voix rugueuse se fit entendre.

– Vous avez rudement chaud, à ce qu'on dirait.

Barnabé leva les yeux. Il vit un vieil homme, visiblement un montagnard, moustachu, avec le béret
sur le front, dont les yeux larmoyants débordaient
de gentillesse éthylique. Le vieil homme s'inclina,
et sortit une enveloppe d'un havresac.

– Vous êtes le commissaire Barnabé ?

– Oui. Qui êtes-vous ?

– On m'a donné ça pour vous. Vous êtes bien lui ?

– Lui qui ?

– Barnabé, tiens.

– Puisque je vous le dis.

L'autre tendit l'enveloppe. Barnabé demanda
encore :

– Qui vous a donné ça pour moi ?

– Un jeune homme, mais je ne peux pas vous dire

qui c'est. Je le connais point. Jamais vu. Un pas de chez nous, pour sûr.

Le vieil homme tourna les talons : « Bien le bonsoir », dit-il.

Barnabé fendit l'enveloppe. Une profonde incompréhension se peignit sur son visage. Il tendit la lettre à Alice :

– Tiens, lis ça.

Elle lut à voix haute :

Au revoir mon bébé bleu
Ton papa s'en va à la chasse
À la chasse au macareux.
Si tu dors bien, si tu es sage,
De la chasse au macareux,
Ton papa reviendra heureux
Des oiseaux plein sa besace.

Alice regarda Barnabé : c'était à n'y rien comprendre. Un dingue ? Un poète loufoque ? Un plaisantin ?

Autour d'eux, la pièce se vidait, les clients allaient se coucher. Il regarda la grande horloge au-dessus de la bibliothèque : minuit. Il dit simplement :

– Allons dormir. On y verra plus clair demain. On contactera Paris. J'aimerais bien savoir ce que fait Gino, pour l'affaire des bijoux de Marly. Ça sent mauvais, ce truc-là.

– Et le fait qu'on essaie de vous tuer, ça sent quoi, je vous le demande, euh...

Alice laissa traîner la phrase. Dans ce bar à la lumière tamisée, où seuls les allers et retours de grooms affairés troublaient l'atmosphère, il s'était établi une certaine complicité. Alice et Barnabé

étaient loin de Paris, loin de Lucas, loin de Marinette, loin de tout. Il se demanda si elle allait finir
la phrase par « patron » ou autre chose. Elle reprit :

– Je vous le demande, André-Georges...

Il allait lui répondre quand ils entendirent la voix
du concierge demander sur un ton de conspirateur :

– Commissaire Barnabé ? Téléphone.

Il se leva. Qui pouvait bien l'appeler à minuit ?
Avant de refermer la porte de la cabine téléphonique, il se retourna vers Alice et, se parlant à lui-
même, grommela :

– C'est quoi, un macareux ?

– CHAPITRE 4 –

Gino Antonioni n'avait pas envie de froisser son beau costume en soie grège. Avec ses chaussures en chevreau recouvertes de petites guêtres blanches, son faux col attaché par un bouton en or et sa cravate italienne, Gino se trouvait d'une élégance suprême. C'était son péché mignon : il était coquet. Il avait hérité cette vanité de sa maman, Dieu ait son âme, la signora Betta Antonioni de Naples. Quand la guerre avait surpris la famille Antonioni, qui régissait le fret maritime de Naples depuis deux générations, Gino avait quitté le bureau paternel pour se retrouver, à peine sorti de l'adolescence, dans les Abruzzes. Il y avait combattu les Autrichiens, dans des conditions épouvantables. Très vite, son sang italien n'avait fait qu'un tour : il avait déserté. Cette guerre lui paraissait idiote, il voyait ses camarades tomber comme des mouches sous une grêle de balles, et les ordres des officiers lui semblaient dépourvus de sens. Son supérieur, le général Caricola, était certainement un fou dangereux doublé d'un crétin colossal, qui faisait marcher ses soldats au feu avec des fusils sans munitions. Après un détour par l'Afrique du Nord, le Nil et Chypre, Gino s'était retrouvé à Corfou, où la fin de la guerre l'avait surpris. En bon Napolitain, il survivait de petits trafics, goûtait le sourire des femmes, et prenait la vie du bon côté. On l'avait accusé d'être un souteneur, ce qui était une exagération : certes, les femmes l'aimaient, mais accepter un petit cadeau ne fait pas de vous automatiquement un maquereau, n'est-ce pas ? Après tout, ce n'était pas sa faute s'il plaisait aux dames. Lui, jouait l'indifférent. À Marseille, un ancien détenu qui l'avait traité d'inverti – la coquetterie de Gino, disait cet imprudent, était le signe d'un comportement féminin – avait été retrouvé égorgé. La maréchaussée expliqua ce crime par une série de règlements de comptes : l'inspecteur Bonny, chargé de l'enquête, avait conclu à une vendetta entre Corses et Gitans.

En 1925, il avait rejoint Paris. Là, après une pénible affaire d'escroquerie dans laquelle il s'était enlisé, il avait choisi : c'était la Légion, la pègre ou la police. Il avait préféré la police. C'était plus sûr. Bizarrement, il y avait gagné une certaine honnêteté ; voir la société du côté des bas-fonds lui avait communiqué un sentiment ignoré : celui du juste et de l'injuste. Quelque chose, en lui, avait été touché. Depuis, Gino était devenu un policier finaud, prêt à se débarrasser du carcan de la loi pour obtenir justice. Barnabé l'appréciait : entre les deux hommes, le commissaire sombre et l'Italien rusé, il y avait une complicité parfaite, qui ne passait pas par les mots. Gino, sous son sourire souligné par sa moustache, était parfois cruel. Barnabé, sous son air renfrogné, était souvent arrangeant. Les deux se complétaient.

Gino savait ce qu'il avait à faire : celui qui avait attenté à la vie de son patron devait payer. Il prit la Renault décapotable bringuebalante garée derrière le commissariat, enfonça son chapeau blanc sur la tête, posa ses gants beurre frais sur le siège, aligna sa canne en acajou dans laquelle se dissimulait une fine épée, et demanda au planton de lui donner un coup de manivelle. La voiture démarra aussitôt et, dans cette chaude journée de printemps, Gino prit la direction de Montparnasse.

Il se gara près du cimetière, rue Froidevaux. On était aux confins de Paris : l'octroi était proche, place Denfert. Chaque véhicule qui entrait ou sortait, chaque passant, chaque bête de trait étaient contrôlés : les vivres, les marchandises, les biens étaient taxés par les gabelous. C'était comme une frontière, avec une barrière et des cabanons : sitôt franchie cette limite qui cernait Paris, on était ailleurs. Les fraudeurs étaient sévèrement réprimés, mais tout un petit trafic s'était mis en place le long de la frontière : dans ce qui restait des anciennes fortifications, des passeurs aidaient les paysans à importer du beurre, des voyous à faire sortir des voitures, des commerçants à se ravitailler sans payer la taxe. Gino ne s'intéressait pas à ces manigances : sur le port de Naples, il avait appris que les limites administratives n'avaient aucune importance. Il était contrebandier dans l'âme, et justicier de cœur.

Il se dirigea vers la rue de la Gaîté, le chapeau crânement incliné sur l'oreille, la canne bien en main. Il prit son fume-cigarette et y inséra une

« Soraya », fabriquée avec du tabac égyptien par-
fumé. Il regardait les passants, cherchant à distinguer les guetteurs au service des marlous. Il y en
avait forcément. Très vite, il repéra deux débardeurs qui faisaient semblant de prendre l'air devant
un bistrot. Puis deux autres, près d'un fleuriste. Et
encore un autre, non loin du Cadet-Roussel. Que
ces messieurs cherchent à se protéger de la flicaille,
rien de plus normal. Qu'il y ait autant de gros bras
dans le coin, voilà qui était étrange. Gino descendit
la rue, salué par les filles de joie qui l'interpellaient
gracieusement. À toutes, il décochait un petit sourire, comme s'il était en goguette. Parvenu au
square, il entra dans un bistrot qui avait vue sur
l'entrée du Cadet-Roussel. Il s'installa près de la
fenêtre, commanda un vermouth anisé, se fit
apporter les journaux munis de leurs poignées de
lecture. Il suffisait d'attendre. Barnabé avait
raconté à Gino, dans le détail, la tentative d'assassinat dont il avait été victime. La Loustiquette avait
sûrement vu quelque chose. Et, pour Gino, il n'était
pas question de laisser passer l'affront : on avait
essayé de tuer son patron. On allait voir ce qu'on
allait voir.

Quelques messieurs en melon à bord retroussé
et des hommes en casquette à carreaux, le torse
moulé dans des maillots rayés, le pantalon attaché
par un foulard à la place de la ceinture, entrèrent.
Ils jetèrent un coup d'œil sur ce gandin attablé
devant une boisson de demoiselle – un vermouth
anisé, pensez ! – et passèrent dans l'arrière-salle,
derrière les panneaux de verre dépoli. L'un d'entre
eux eut un geste du poignet qui découvrit de
superbes boutons de manchette. Il était accom-

pagné d'une blonde à cheveux courts, une fille à la nouvelle mode, une « garçonne ». Sans doute allait-il disputer une partie de tric-trac tout en réglant les comptes avec ses associés : ces dames ne tarderaient pas à venir les rejoindre avec la recette de la nuit. Gino se plongea dans sa lecture. Il n'y en avait que pour l'affaire Stavisky. Où était-il passé ? Gino passa rapidement sur la description de la nouvelle 7 CV Citroën à traction avant, sur la création d'Air France et sur la grève de la faim de Gandhi. Plus drôle, le premier tirage de la Loterie nationale, société qui venait de voir le jour, avait désigné un coiffeur de Tarascon comme gagnant. Celui-ci empochait une somme folle : cinq millions de francs. Gino reposa son verre : il aperçut, par la fenêtre, une jeune femme un peu vulgaire dont les cheveux, en partie défaits, flottaient sous un drôle de chapeau. Il se leva, paya, et traversa la rue. Parvenu devant la fille, il demanda :

– La Loustiquette, c'est toi ?

– Qui veut savoir ?

– Te fatigue pas, je suis de la grande maison.

– Un poulet ? C'est bien ma chance !

– Ce n'est pas ce que tu crois. Je te paie la passe.

– Alors comme ça, ça va.

– On y va ?

– On y va.

C'était mieux : les sentinelles des souteneurs, dans la rue, croiraient à une passe normale. Il faudrait simplement veiller à ne pas dépasser le quart d'heure réglementaire. Ils s'engagèrent dans un hôtel borgne, Le Phare d'Odessa. Quelques marins en virée en sortaient, visiblement ragaillardis, raccompagnés à la porte par des filles en chemise. La

Loustiquette se dirigea vers le comptoir, prit une clé, et Gino la suivit au deuxième étage.

Parvenus à la chambre 23, ils entrèrent. C'était moche. Le papier peint se décollait par endroits, et la vapeur d'un établissement de bains voisin embuait les fenêtres. Il y avait une chaise, une table, un évier, un drap sur le lit. Gino prit la chaise, posa son chapeau sur la table, et s'assit en faisant attention à son pli de pantalon. La Loustiquette, dans cet éclairage, semblait fourbue. Elle se laissa tomber sur le lit, qui grinça. Dans un soupir, elle indiqua le prix de la passe. Gino régla, ajoutant un pourboire et le prix de la chambre. Elle remercia d'un mouvement de tête, et demanda :

– C'est pour le gars qui s'est fait saigner l'autre jour, hein ?

– Oui. Tu t'appelles comment ?

– Marie Robinet. Je suis de Bayonne. J'ai de la famille là-bas. Mais on m'appelle la Loustiquette, rapport à ce que j'ai la langue bien pendue.

– Tu as un homme ?

– Ben évidemment ! Il est pas toujours commode, Pierrot, mais enfin, ça va. Je lui achète ses boutons de manchette, il adore ça.

– Raconte-moi ce que tu as vu.

– J'ai pas vu grand-chose...

– Raconte quand même.

– C'est pas mon genre, de chanter pour la police.

– Je sais, mais là, c'est différent. Et si tu ne m'aides pas, tu sais que ça peut se passer mal pour Pierrot. Entre parenthèses, il est au bistrot d'en face, avec...

– Vous l'avez vu ? Avec qui ?

— Avec une blonde à cheveux courts. Une fille qui ressemble à un gars.

— Ah, la peau d'hareng ! Il m'avait dit qu'il la verrait plus, cette pochetée ! C'est Gigi l'Édredonneuse ! Ah, il me le paiera !

— Pour sûr. Alors vas-y, raconte.

Poussée par la colère et la nécessité de se mettre bien avec la police, la Loustiquette se mit à table. Elle avait bien vu Barnabé entrer au Cadet-Roussel. Il était seul. Puis, vingt minutes plus tard, il en était ressorti. Là, tout s'est passé très vite et elle avait juste vu un gros type rougeaud, le commissionnaire d'un épicier sans doute, « rapport au panier à carreaux qu'il avait en main », sortir un coutelas de son panier, puis l'enfoncer dans la poitrine du commissaire.

— Par chance, je me suis mise à gueuler, il a pas eu le temps de recommencer. C'est ça qui l'a sauvé, hein ?

Gino acquiesça, ajoutant :

— Ça, et son porte-cigarettes.

Il tapota le bout de sa canne, réfléchissant. Barnabé lui avait appris à dénicher l'histoire derrière l'histoire.

— Le type qui avait le couteau, le surin...

— Le surineur ? J'l'ai mal vu, j'vous dis. Mais...

— Mais... ?

— Faudrait pas qu'on sache que c'est moi, hein. Vous me donnez quoi, en échange ?

— On peut s'arranger. Tiens, si tu veux, je fais embarquer Gigi l'Édredonneuse pour racolage public, on la garde deux semaines pour les contrôles de santé au Centre de Saint-Joseph, ça te donnera le temps de recoller avec ton Pierrot, non ?

– Alors comme ça, ça va ! Vous voulez savoir quoi ?

– Tout. Quand il est parti, le surineur, il a fait quoi ?

– Il a remonté la rue. C'est bizarre, moi je l'aurais descendue.

– Il a fait quelque chose ? Il a pris une voiture ? Il a pris un bus ? Quoi ?

– Non, non. Il a marché vite. Moi, je me suis agenouillée et j'ai relevé la tête du gars qu'avait été suriné.

– Et l'agresseur ?

– Il s'est arrêté devant le magasin de Miroton, il a parlé avec un gars, il lui a passé quelque chose et il est parti.

– Passé quoi ?

– Oh ben, le couteau, pour sûr.

– Il avait l'air de quoi, le gars qui a pris le couteau ?

– Un baraqué, avec une tête de brute.

– C'est pas une description, ça.

– Oh, est-ce que je sais, moi ? Il avait un nez de cochon, voilà ! Un groin, quoi ! C'est tout ce que je peux dire !

Gino enleva son mégot, ficha une nouvelle « Soraya » dans son mince porte-cigarette assorti à la couleur ivoire de son costume, et observa une minute de silence. Il fallait trouver la faille, comme disait Barnabé. Le commissaire lui avait appris à renifler dans les coins, à laisser son instinct le guider. « Chercher l'histoire derrière l'histoire »... Gino se cala dans sa chaise, regarda sa belle montre-bracelet en vermeil, il ne lui restait plus guère de temps. Au bout d'un quart d'heure, le maquereau de madame, le fameux Pierrot, commencerait à s'inquiéter. Il reprit :

– Pourquoi tant de guetteurs, dans la rue ? J'en ai vu cinq ou six. Y a le feu ou quoi ?

– Bien sûr, qu'il y a le feu ! Y a Hayotte qu'a un bureau discret dans la rue. Juste derrière la librairie de Miroton. Hayotte, c'est un monsieur qui prend ses précautions.

– Henri Hayotte ? L'ami de Marthe Hanau, la banquière, le type qui a fondé la société « Le P'tit Pot » ?

– Le même.

– Du gros gibier, dis donc.

– Je te le fais pas dire, poulet...

À ce moment-là, on frappa à la porte. Le quart d'heure était passé. Gino se leva, défit sa cravate et ouvrit, jouant la comédie du client qui essaie de se redonner contenance et de se rhabiller en même temps. Il murmura :

– Voilà, voilà...

Et, faisant un clin d'œil à la fille, il passa devant Pierrot qui faisait flasher ses beaux boutons de manchette.

Une heure plus tard, Gigi l'Édredonneuse était embarquée. Un accord est un accord.

Henri Hayotte était un quadragénaire empâté. Il aimait les beaux costumes et s'habillait chaque jour de frais, mais dès qu'il mettait une veste ou une jaquette, il donnait l'impression d'avoir dormi avec. Il avait fondé une société de consommés, « Le P'tit Pot », qui n'avait jamais produit la moindre goutte de potage ou de bouillon en cube. Impulsif et roublard, peu intelligent, il jacassait beaucoup dans les couloirs des banques et fréquentait une actrice qui avait fait ses débuts au Cadet-Roussel. Un jour – l'affaire avait eu un grand retentissement – un épicier du Mans, Eugène Mikorski, avait été intrigué par cette société qui ne lui fournissait rien. Il s'était rendu à Paris, avait rencontré Hayotte qui lui avait proposé un contrat de représentation exclusif, et avait déposé ledit contrat chez son avocat. Hayotte s'était retrouvé en prison, pour deux mois. Il en avait tiré une leçon : il fallait s'entourer, ne pas se laisser atteindre, avoir des écrans, des hommes de main, des gardes du corps. On le disait en relation avec Sylvain Zweifel, un comptable de Bucarest, qui était employé par le contre-espionnage allemand. Depuis, Hayotte avait plongé dans des affaires beaucoup plus sombres – et plus juteuses. C'était l'un de ces malfrats de la finance que l'époque produisait. Gino connaissait Hayotte de réputation. Il savait qu'il fallait se méfier du bonhomme. Surtout si l'un de ses gardes du corps avait récupéré le poignard avec lequel Barnabé avait failli se faire tuer.

Il redressa son chapeau, dont il inclina avec préciosité le rebord sur l'oreille gauche, et remonta la rue. Les filles de joie et leurs hommes l'avaient repéré : un client sortant d'une passe, le cœur léger et l'âme guillerette. Il faisait balancer sa canne en acajou entre deux doigts, lissant sa moustache d'un air satisfait. Quand il arriva devant la librairie de la Gaîté – propriétaire, Jules Miroton –, il hésita un instant, et entra. Un bonhomme vêtu d'une blouse grise et d'une toque en coton l'accueillit. « Non, non, je flâne... », prévint Gino, qui se mit à compulser des livres pour se donner une contenance. L'endroit sentait l'encre et l'acétylène, une épaisse couche de poussière s'était déposée sur les ouvrages de Paul Bourget et de Victor Hugo. Visiblement, la librairie avait connu des jours meilleurs. Pendant que Gino regardait un ouvrage d'Élisée Reclus, admirant les gravures, un petit coursier entra, donna un paquet à Jules Miroton et s'éclipsa. Le libraire enleva la ficelle, feuilleta rapidement l'ouvrage reçu, et disparut dans l'arrière-boutique. Resté seul, Gino regarda l'endroit : tout, ici, respirait l'abandon. Il y avait une atmosphère contraire au nom de la rue. La Gaîté ? *Mamma mia,* se dit Gino, c'est rue de la Mélancolie, ici !

Un monsieur à haut-de-forme, portant monocle, entra. Le libraire réapparut comme par miracle :

– Ah, monsieur de... Oui, oui, j'ai votre ouvrage.

Il tendit au visiteur un livre soigneusement emballé dans du papier de soie, et l'autre s'en alla sans un mot. Gino avait compris : il était dans un endroit « spécialisé », une librairie où les amateurs de gravures coquines, de photos licencieuses et de livres pervers étaient les bienvenus. Les rayonnages devant lui étaient un décor. Tout se passait derrière. Il s'approcha du sieur Miroton :

– Je... euh...

– Oui ?

– Je recherche certains livres...

– Oui, monsieur ?

– Des livres, vous voyez...

– Ah, oui, oui, certainement, certainement.

L'avorton en blouse grise avait compris. Il demanda :

– Et vous avez des... désirs particuliers ?

– J'aurais souhaité, vous voyez, des ouvrages sur l'éducation des jeunes filles.

– Suivez-moi.

Le libraire passa dans l'arrière-boutique. Là, dans la pièce du fond, il désigna un pan de mur, et dit simplement :

– Le rayon des fessées, c'est ici, monsieur ; quand vous aurez fini, ne prenez pas les livres. Vous comprenez, ces messieurs de la brigade des mœurs nous surveillent. Vous me donnerez les titres, et je vous les emballerai. Voilà, je vous laisse.

Gino resta seul. Il regarda autour de lui : *Jeune et soumise, La Dresseuse, Tapette et Tapon*. Le mur en face était spécialisé dans l'inversion : *Elle c'est lui, Jupons d'homme*. Il distingua, dans un coin, une porte étroite. Sans doute ouvrait-elle sur un couloir, menant par une petite cour couverte au bureau de Hayotte. Doucement, il pesa sur la poignée. Par la fente, il aperçut en effet un couloir. Il ne s'était pas trompé. S'avançant sur la pointe des pieds, il parvint à l'angle de la cour couverte. Là, sous une verrière crasseuse doublée d'un grillage, deux hommes discutaient. Le premier, trapu et ventru, agitait ses mains : c'était Hayotte. L'autre, longiligne et pâle dans un col roulé, tordait sa casquette entre ses doigts. Gino distingua des tables, des machines. Les deux hommes étaient énervés. Hayotte criait presque :

– Mais pour la photogravure, on fait comment ? Il me faut du zinc, moi ! Du zinc !

– Oui, m'sieur. Mais c'est pas facile. On vous a procuré l'encre, les acides, l'appareil de photographie, la pierre de lithogravure, tout. Le papier, même !

70

– Oui, mais sans zinc, pas de faux billets ! Pas de faux chèques ! Je fais quoi, moi ?

– Avec la bande, on va s'y coller, vous aller voir !

– Et Prince, je lui dis quoi ? Vous êtes des tire-laine, c'est tout. Demain, si vous n'avez pas le reste, je vous assure que la police va entendre parler de vous ! Retour au bagne !

Ainsi, Hayotte faisait dans la fausse monnaie ? L'afflux de faux chèques de banque, d'actions tocardes et de titres sans existence, récemment, avait déstabilisé les services financiers. La crise économique, née en Amérique, avait des échos nocifs à Paris : la récession était féroce. De colère, Hayotte jeta un objet par terre, faisant sursauter Gino.

Au moment où il décidait de se retirer, il sentit une main sur son épaule. En se retournant, il vit un type en maillot rayé. Il avait un nez de cochon, oui, un groin. Avant que le type ait pu lever son casse-tête de plomb, Gino lui plongea sa canne-épée dans le cœur.

– C'est pour Barnabé.

L'autre ouvrit de grands yeux, et mourut en silence. Mais Gino était déjà parti. Il sortit après avoir commandé *Petite dactylo*, de Sadie Blackeyes, un ouvrage « très recommandable, dans le genre », selon le libraire.

– Quel genre ?

– Oh, la flagellation, monsieur !

Gino se dirigea vers sa voiture d'un pas assez vif. Un nom lui revenait en tête : celui du conseiller Prince. L'homme était très haut placé. Très haut, vraiment. Albert Prince était le chef de la section financière du parquet.

– CHAPITRE 5 –

– Allô ? Qui est à l'appareil ?

Barnabé n'entendait qu'une respiration oppressée. Il avait refermé la porte de la cabine téléphonique et voyait Alice, assise dans son fauteuil, qui se lissait les cils. Dans le cornet qu'il tenait contre son oreille, il discerna une voix lointaine :

– Allô ? Commissaire André-Georges Barnabé ?

– Lui-même. C'est de la part... ?

– Alexis Cortès.

Enfin ! Barnabé, légèrement excédé, prit la parole :

– Monsieur Cortès ! Je vous avoue que j'attendais votre coup de fil. Mais j'ai été quelque peu surpris par l'accueil qui m'a été réservé devant votre chalet, tout à l'heure...

– Ce n'était pas mon accueil, commissaire. J'ai tout vu de la fenêtre du salon. Je n'ai rien pu faire. Tout est allé tellement vite ! Oubliez cet incident, je vous en prie !

– Incident, dites-vous ?

– Je n'ai pas beaucoup de temps pour vous parler, commissaire. Mon assistant Laurent Berry m'a conseillé de vous contacter.

– À quel propos ?

– Avez-vous entendu parler de la jeune Mireille Laborde, qu'on a retrouvée...

– ... Oui, oui. Morte, c'était fin mai, je crois...

– Exact. J'ai des informations qui pourraient vous être utiles. Mais il faut que nous nous rencontrions dans un endroit discret. Vous comprenez ?

– Non. Et je ne vois pas en quoi tout cela me concerne.

– Vous verrez. Il faut que je vous voie !

Au bout du fil, la voix devenait haletante, rauque. Barnabé en avait assez de ces manigances. Il prit un ton rogue.

– Pourquoi ?

– J'ai mes raisons. J'insiste.

– Mais encore ?

– Je suis menacé. Je reçois des lettres anonymes, des menaces de mort. C'est lié à cette jeune femme, Mireille Laborde. Et j'ai peur, comprenez-vous ? J'ai peur.

– Où voulez-vous me voir ?

– Où vous voudrez.

– Vous me fatiguez, Cortès.

– Mais...

La conversation s'interrompit. Barnabé entendit un grognement, qui se prolongea en une sorte de chant, presque un fredonnement. On aurait dit que Cortès était ivre.

– Désolé, Cortès, je n'ai pas compris. Vous disiez ?

– Je dois raccrocher.

– Demain matin, à l'église. Onze heures, ça vous va ?

– J'y serai.

Barnabé raccrocha. La conversation lui laissait

une sensation de malaise. Il ferma la porte de la cabine. Le fauteuil d'Alice était vide. Le concierge annonça :

– Madame est partie se coucher, Monsieur.

Il dormit mal. Il fit un rêve où, perdu dans la montagne, les pieds englués dans une neige plus noire que du charbon, il cherchait son chemin. Dans une clarté éblouissante, il sortait son étui à cigarettes, qui se transformait en bouclier, tandis qu'un dragon tentait de l'asphyxier de son haleine de feu. Une princesse, prisonnière au sommet d'une tour, agitait un mouchoir. C'était Eleanora. Il franchissait le pont-levis, et, dans la cour, elle lui remettait un bébé dans les bras. Il regardait le bébé, qui avait un visage de monstre, avec des cornes et des dents pointues.

Il se réveilla, en sueur. Le soleil était à peine levé sur la montagne. Il se leva, s'habilla, et partit marcher le long de la route qui menait à Chamonix, après s'être muni dans l'entrée de l'hôtel d'un bâton sculpté. Quelques rares chalets s'étageaient sur les flancs de la montagne, et il croisa un berger qui menait ses chèvres à la pâture, dans un fracas de clochetons. Peu à peu, le mauvais goût de la nuit s'en alla, en même temps que le soleil gagnait l'horizon. Des champs de gentiane embaumaient l'atmosphère. L'air était clair, avec des écharpes de brume bleue qui disparaissaient vite, tandis que la chaleur du mois de juin réchauffait les alpages. De retour aux Grands Pins pour prendre son café, il récapitula les faits : Jeanne d'Arcy était venue le

trouver pour se plaindre d'une escroquerie relativement ancienne. Elle avait été victime de Stavisky,
mais qui ne l'avait pas été ? Le bonhomme avait
floué des milliers de personnes, passant à chaque
fois à travers les mailles du filet. Rien, là-dedans,
ne laissait supposer qu'on pouvait en vouloir à la
vie du commissaire. Si on avait tenté de l'éliminer
– maladroitement, il faut bien le dire – c'est qu'il
risquait de découvrir quelque chose de compromet-
tant. Ce secret se situait-il au Cadet-Roussel ?

D'un autre côté, il y avait cette histoire abracada-
brante avec Cortès. Pourquoi tant de chichis ?
Encore une fois, on avait tenté de l'intimider. Il y
avait, chez l'acteur, quelque chose d'irrationnel, un
côté illogique, qui le dérangeait. Il fallait mettre de
l'ordre dans toute cette affaire. Le désordre coexis-
tait mal avec la loi.

Il décida d'aller faire un tour à la gendarmerie
locale. Il en apprendrait peut-être un peu plus.

Seul au poste, l'adjudant Beliveau examinait la
pointe de son crayon, se demandant gravement s'il
fallait le tailler ou non. Beliveau était simple et
tatillon. Il devait remplir le rapport sur le vol d'un
bélier par le bouvier Carzou, vol qui s'était soldé
par une bagarre au cours de laquelle un pot de lait
et deux assiettes avaient été cassés. Beliveau déplia
le formulaire officiel, posa son képi sur la table et
regarda par la fenêtre. Il vit un homme, coiffé d'un
melon, qui s'approchait. Il se leva, mais sa petite
taille l'empêchait de voir plus loin. Ce ne fut que
lorsque l'homme s'encadra dans la porte d'entrée
que Beliveau eut la présence d'esprit de remettre
son képi. L'air martial, il demanda :

– Oui ?

– Commissaire Barnabé, police judiciaire de Paris.

Beliveau perdit contenance. De Paris ? Bon sang, ils venaient de loin, les messieurs, maintenant. Barnabé remarqua le trouble du gendarme, le pria de se rasseoir, et précisa :

– J'ai juste besoin de renseignements, adjudant-chef...

– Beliveau, à vos ordres, commissaire ! Et pas adjudant-chef, juste adjudant.

– Ah, bien.

Barnabé précisa l'objet de sa visite, puis écouta le gendarme. À vrai dire, celui-ci connaissait peu Cortès. L'acteur n'avait jamais eu maille à partir avec les représentants de l'ordre, mais oui, on savait qui il était, dans le coin. Il possédait son chalet depuis de nombreuses années, et il venait quelquefois, moins souvent ces derniers temps, « rapport à son séjour en Amérique, là-bas ». « Accompagné ? » demanda Barnabé. « Accompagné », assura Beliveau. Le commissaire alluma une cigarette, présenta au gendarme son étui en cuivre balafré, et demanda :

– Homme ou femme ?

– Comment ça, commissaire ?

– Accompagné par un ou des hommes, ou une ou des femmes ?

– Euh... Plutôt par des hommes, commissaire. Souvent par son assistant Berry. Mais... Il lui est arrivé d'avoir des écarts avec des femmes. Une, en particulier, dit-on. Une institutrice.

– Que pouvez-vous me dire de plus ?

– Pas grand-chose, sinon qu'un berger a surpris

une fois M. Cortès dans un petit chalet en altitude. C'est le seul, dans la région, situé à l'entrée d'un col. Bel endroit, ma foi. On y est à l'écart, au Chalet d'Arbois. Si je devais me réfugier quelque part, j'irais là... Bref, M. Cortès a été pris la main dans le sac avec un jeune éphèbe. Il était tout nu. Dans le coin, ça ne se fait pas. On lui a fait comprendre qu'il valait mieux se tenir tranquille.

– Qui ça, « on » ?

– Ce n'est jamais remonté aux autorités, si vous voyez ce que je veux dire. Les gens du coin ont réglé ça par eux-mêmes. Ils se défient de nous.

– Le Chalet d'Arbois, hein ?

– Oui.

Barnabé tapota la table de son ongle, en réfléchissant. Il reprit :

– La jeune institutrice, c'est la femme qui a été tuée ?

– Oui. On a soupçonné monsieur Cortès, mais il était en voyage. Le dossier a été envoyé à Briançon, où ils suivent l'affaire.

– Bien. Je vous remercie, adjudant. Je peux téléphoner à Paris ?

– Bien sûr. Tournez la manivelle, et demandez au standard de Grenoble de vous mettre en relation. Ici, c'est le 2 à Chamonix.

– Qui est le 1 ?

– La mairie.

Il se passa une bonne demi-heure avant que la communication ne fût établie. Finalement, la demoiselle du standard enfonça la bonne fiche, et sa voix grêle retentit : « Parlez, Paris. Parlez, Chamonix. »

– Allô, Gino ? Quelles nouvelles ?

Barnabé écoutait attentivement. Il ne disait rien. Puis, au bout d'un moment, il se borna à répéter :

– Prince, tu es sûr ?

Il écouta encore un instant, et donna ses instructions :

– Gino, écoute-moi bien. Premièrement, tu étais à Marly-le-Roi, toute la journée. Je confirmerai. Deuxièmement, pioche-moi là-dedans, mais discret, discret. Tu m'as bien compris ? Discret, discret, hein ! Prince, ça alors...

Il raccrocha devant le gendarme médusé, qui, pour la première fois de sa vie, avait affaire à un policier qui connaissait un prince. Ces gens de la ville, quand même, c'est autre chose, pensa Beliveau. Il dit :

– Si je peux vous être utile... Mes deux hommes sont en tournée à bicyclette. Ils reviennent vers onze heures. Si...

– Bien sûr, bien sûr. Au revoir.

Dehors, le soleil était haut. Barnabé se demanda vaguement ce que faisait Alice, et se dirigea vers l'église.

Le clocher penchait légèrement, résultat d'une terrible avalanche qui avait eu lieu au siècle précédent, en 1895. Quelques vieux s'en souvenaient encore, et racontaient comment une boule de neige venue de là-haut, au printemps, avait percuté l'église et secoué le clocher. « Le plus bizarre, insistaient-ils, c'est que la neige était pas blanche, mais comme qui dirait noire. » Un vent du sud l'avait recouverte de cendres, conséquence d'un incendie qui avait ravagé le Haut-Atlas, avait-on cru comprendre plus tard. En fait, disait le curé, c'était le poids des péchés qui l'avait ainsi maculée...

La conjonction avec son rêve frappa Barnabé. Il enleva son chapeau, s'épongea le visage, enleva sa veste, puis entra dans l'église. À onze heures, alors qu'il faisait déjà chaud dehors, l'abbatiale restait fraîche. Seulement éclairée par les bougies qui se trouvaient au pied des saints et celle qui demeurait, sans doute en permanence, devant le tabernacle, la voûte en bois semblait luire doucement. Des statues polychromes jetaient des ombres mouvantes, donnant en même temps un air rassurant à l'endroit. Une odeur d'encens flottait, légèrement écœurante. Barnabé s'assit à gauche, près de la chaire. Il ne savait pas prier, ayant oublié les invocations de son enfance, et seules quelques bribes lui remontaient en mémoire. « La dernière fois que j'ai prié, c'était dans les tranchées », se dit-il. Il était seul dans l'église et, de façon inattendue, il se sentait apaisé. Dieu, c'était donc ça ? Un certain bien-être, comme une eau de Cologne rafraîchissante ?

Il entendit des pas derrière lui. Un homme petit, avançant sur un genre de bottines munies de talonnettes, vint s'asseoir à ses côtés. Il portait un cartable de la main gauche. Barnabé, sans tourner la tête, dit :

– Bonjour, monsieur Cortès.

– Bonjour, commissaire.

Alexis Cortès posa sa canne de rotin, et lui serra la main.

– Merci d'avoir accepté de me voir.

D'un bref geste de la tête, Barnabé acquiesça. Malgré le clair-obscur ambiant, il tenta de dévisager son interlocuteur. Celui-ci était tiré à quatre épingles, son pantalon en soie blanche était impeccablement repassé. Renforcé par des yeux en amande, son visage aux hautes pommettes lui donnait un air de séduction farouche, une sorte de beauté exotique. Mais la bouche, amollie par un pli veule, affadissait tout, et la moustache gominée qui la surmontait achevait de créer une impression de fausseté. Barnabé prit la parole.

– Je suis curieux d'entendre ce que vous avez à me dire. Ne me faites pas perdre mon temps.

– Vous ne le perdez pas, commissaire. D'après ce que je sais, vous êtes venu en galante compagnie...

Comme on peut se tromper, pensa Barnabé. Mais Cortès, une fois qu'il eut sorti cette carte qu'il pensait forte, redevint charmant. Il se cala sur sa chaise, et se mit à raconter sa vie. Celle-ci était compliquée : écartelé entre les besoins du théâtre et sa carrière de cinéma, Cortès avait échoué à Hollywood, où il avait tourné quelques films muets, dont un *Ben Hur* à grand spectacle dirigé par un metteur en scène alsacien. Quand le parlant était survenu, son accent avait été un obstacle, mais il avait très vite appris à en tirer parti : « Mon père était restaurateur à Toulouse. Avec l'accent du Midi, j'ai composé quelques personnages intéressants, dont un Casanova... Vous l'avez vu ? » Barnabé fit non de la tête et, impatienté, ajouta :

– Dites-moi ce que vous avez à me dire, Cortès.

– Patience, patience, monsieur le commissaire.

– La patience a ses limites, Cortès. Je sais que c'est une vertu, mais ma vertu est courte, sachez-le.

– C'est Laurent qui m'a présenté Mireille Laborde

chez des amis communs, à Cannes. C'était une jeune institutrice.

– Et Laurent est...

– Mon assistant, commissaire. Laurent Berry. Il est mon bras droit.

Et mon fiancé à gauche, pensa Barnabé. Dans toutes les familles royales, il y a les enfants officiels et les enfants « de la main gauche ». Ainsi en va-t-il des amants... Il eut envie de fumer une cigarette, mit la main dans sa veste mais, se souvenant qu'il était dans une église, déserte certes mais une église quand même, il renonça. On ne fume pas devant le Tout-Puissant, sauf peut-être de l'encens. Il regarda Cortès, qui continuait :

– Bref, Mireille Laborde, peu à peu, a été acceptée dans notre entourage. Elle était pour ainsi dire de la famille. Joyeuse, serviable, jolie, elle partait en vacances avec nous et nos amis, et m'a accompagné comme secrétaire sur plusieurs tournages, notamment à Berlin sur *L'Étang de Maldoror*. Quand nous sommes revenus, j'ai remarqué qu'elle s'arrondissait. Elle m'a avoué être enceinte.

– De vous ?

– Grands dieux, non ! Commissaire ! Certainement pas ! La dernière femme qui m'a tenu dans ses bras était ma mère.

Le mensonge venait naturellement à Cortès. Il ignorait que Barnabé s'était entretenu avec l'adjudant Beliveau. Barnabé reprit :

– Donc... ?

– Donc, cette grossesse était embarrassante pour tout le monde. Qui était le père ? En attendant que la question soit réglée, Mireille est venue s'installer au chalet, ici, à la montagne. Elle a été tuée au bout du chemin des Grands Pins. Et mutilée.

– On a retrouvé son assassin ?

– Non. La gendarmerie a conclu à un crime de rôdeur. Un cambrioleur à la recherche d'une maison inoccupée, qui aurait été surpris par Mireille.

– Et vous n'y croyez pas ?

– Non. D'autant que j'ai commencé à recevoir des lettres de menaces me promettant le même sort. Anonymes, bien sûr. Tenez, les voilà.

Cortès ouvrit le porte-documents qu'il avait apporté. Il en tira une liasse de papier jaune, où un correspondant haineux avait décrit le sort qu'il réservait à « monsieur l'acteur » : la mort, le démembrement, la torture.

– Pardonnez ma question, Cortès, mais vous étiez où, à ce moment-là ?

– En Allemagne, pour la version française de *L'Étang de Maldoror*. Vous n'êtes pas sans savoir, commissaire, qu'on tourne deux versions de tous les films importants : une allemande et une française. Nous sommes à l'ère du parlant, c'est le progrès !

– Vous avez une idée de...

– Non. Mais c'est évidemment dans mon entourage qu'il faut chercher.

– Et votre assistant, Laurent ?

– Non, non, il est hors de cause. Il était avec moi presque tout le temps.

Barnabé nota ce « presque », et laissa filer. Il y reviendrait plus tard.

– Que désirez-vous de moi ?

– Mais, commissaire, que vous me protégiez ! J'ai peur ! J'ai très peur !

Le visage de Cortès avait pris une expression de terreur. Son teint avait viré au gris et sa bouche s'était encore plus amollie.

– C'est simple, commissaire : je suis une cible. Et vous aussi, d'ailleurs. Protégez-moi ! Je dois penser à ma carrière !

Barnabé pensa : la mort, c'est excellent pour une carrière. L'ennui, c'est que l'intéressé n'est plus là pour en profiter. Il se leva, regarda Cortès, qui ne lui plaisait guère et dit :

– Je vais y songer.

– Songer ? Mais...

– Bien le bonjour, monsieur Cortès.

Le commissaire se dirigea vers le bénitier, dans lequel il trempa deux doigts avant de se signer. Il ne croyait pas en Dieu mais diable, il n'était pas inutile de prendre une petite assurance avec l'au-delà.

En rentrant à l'hôtel, il s'aperçut qu'il avait faim. L'heure du déjeuner avait sonné. Il aperçut, sur la terrasse des Grands Pins, quelques rares clients allongés dans des transats, le visage tourné vers le ciel, les yeux fermés. Le silence était total. Un gendarme passa en bicyclette – sans doute l'un des hommes de Beliveau – et le grincement de ses roues ressemblait à un couinement de pourceau. Les oiseaux eux-mêmes s'étaient tus. Là-haut, près des cimes, Barnabé distinguait de gros choucas noirs qui tournaient en quête d'une proie. Il vit Alice qui l'attendait dans un fauteuil en rotin, à l'ombre d'un parasol. Elle lui fit signe de la main.

– Bien dormi, commissaire ?

– Pas trop. L'altitude, sans doute. Je suis fatigué. On déjeune ?

– On déjeune.

Avec un rire pétillant, elle le prit par le bras et l'entraîna vers la salle à manger. Il eut une pensée fugace pour Marinette, sans une once de culpabilité. Ils s'installèrent près d'une baie vitrée et commandèrent une omelette aux champignons, une salade avec de la tomme, une demi-bouteille de vin blanc. Barnabé se défiait de l'alcool, qui restait un redoutable adversaire. Alice demanda, en plissant le nez :

– Alors ? Alors ? Alors ?

Il raconta. L'omelette terminée, le café bu, il la regarda attentivement. Drôle d'histoire, se dit-il. Un rayon de soleil tombait sur l'échancrure de son chemisier, et cette peau dorée l'attira. Il fit un effort pour s'en détourner et, raclant le fond de sa tasse de café avec sa cuillère, prit son ton professionnel :

– Alice, à toi de jouer. Renseigne-toi sur Mireille Laborde. Qui était-elle, d'où venait-elle, pourquoi est-elle morte ?

– À vos ordres, chef.

– M'appelle pas chef, c'est ridicule, Alice.

Ils allèrent s'asseoir sur des chaises longues. Barnabé inclina un parasol et, fermant les yeux, reprit :

– Il m'intéresse, ton Cortès.

Il entendit Alice lui répondre d'un ton moqueur :

– Et moi, je vous intéresse ?

Il pensa lui répondre que oui, qu'elle était fort jolie, qu'il l'embrasserait bien, ici même, mais le temps qu'il se décide à le lui dire, il dormait profondément.

– CHAPITRE 6 –

Albert Prince était un homme de bien, du moins aimait-il à le penser. Si les aléas de la vie l'avaient entraîné sur des chemins de traverse, il s'en accommodait : un homme bon peut parfois faire des choses peu morales, sans que son être intime en soit touché. Il était intègre en son âme et conscience, même s'il avait les mains sales. C'est comme la neige, se disait-il : elle est d'un blanc virginal et, si la suie des grandes villes la transforme en boue noire, elle ne change pas pour autant de nature. Elle reste blanche. Albert Prince avait été élevé chez les jésuites. Cultivé, distant, il pouvait sembler froid : il se considérait en fait comme l'aristocrate du Droit. Son père, conseiller de la cour d'appel d'Aix-en-Provence, l'avait orienté très tôt vers les études supérieures : ayant passé son doctorat en droit en 1909, Albert Prince avait rapidement gravi toutes les marches qui menaient aux sommets de l'État. Même son passage dans l'armée avait été remarqué : capturé par les Allemands en 1916, il avait consacré toutes ses années de détention à scruter l'ennemi, dont il avait appris la langue, les mœurs et les lois. Grand, distingué, il habitait non loin du jardin du Luxembourg et était chargé des affaires financières au parquet. Il surveillait tout, lisait tous les dossiers, convoquait les experts, sommait les témoins, écoutait les suspects et, assisté de quatre substituts, régnait sans partage. Mais la section financière avait peu de moyens : face au pouvoir de l'argent, elle avait du mal à se battre sur le même terrain. Quand Prince avait eu en main le dossier douteux de « la Foncière », la société fondée par Stavisky, il avait fait remonter ses remarques jusqu'au ministère de tutelle, lequel avait temporisé. Pourquoi, au fond, livrer duel à la fois contre ses supérieurs et contre un homme d'affaires un peu leste ? Pour la première fois de sa vie, Albert Prince avait ressenti de la lassitude. Ses efforts étaient inutiles, il avait envie d'être juge, de voir ses actions suivies d'effet. Il baissa les bras, et reçut dans son bureau Alexandre Stavisky en mars 1930.

Ils devinrent amis.

Gino reposa le dossier Prince, qu'un journaliste de ses amis lui avait communiqué. Tranquillement installé dans les archives du *Coq gaulois*, un quotidien d'opposition, il lissa sa moustache. Après l'altercation dans la librairie de la rue de la Gaîté, il avait préféré se faire discret. Le travail de renseignement, dans un journal, lui convenait pour quelques heures. Nul ne songerait à venir le chercher là pour lui demander des explications, dans l'hypothèse où quelqu'un aurait eu l'idée saugrenue de le reconnaître en face du Cadet-Roussel. De toute façon, il nierait : il n'était pas là-bas. Si bien que lorsque Barnabé lui avait suggéré de se renseigner sur le conseiller Prince, Gino avait téléphoné à Raymond Forester, un ami reporter, pour lui demander l'autorisation de compulser quelques vieux papiers. L'autre avait eu la réaction normale : « Tu me tiendras au courant ? – Tu seras le premier informé », avait répondu Gino.

Sa canne, sa précieuse canne posée sur la table, il essayait de comprendre le maquis financier qui entourait Prince. Agioteurs, investisseurs véreux, rats de Bourse, chevaliers d'industrie, tous se tenaient sous la coupe du conseiller. Mais quelque chose manquait : l'histoire derrière l'histoire, comme disait Barnabé. Dans l'un des articles de Forester, il était mentionné que Prince était un « bon vivant » et qu'il prenait tous les soirs un bock à La Chope du Luxembourg, en bas de la rue Soufflot, avant de rentrer chez lui. Il y lisait les journaux, faisait éventuellement une partie de nain jaune, rajustait son monocle et rejoignait ses pénates, où ses deux fils, étudiants en droit, et sa femme Lucienne l'attendaient pour dîner.

– J'y vais, murmura Gino.

Il prit l'autobus jusqu'au Panthéon. Là, un œil devant pour regarder les jolies étudiantes qui remontaient la Montagne-Sainte-Geneviève, et un œil derrière pour s'assurer que nul ne le suivait, Gino s'approcha de la fontaine qui jouxtait le jardin du Luxembourg. Les nounous ramenaient les petits enfants, dans une débauche de poussettes à ombrelle et de jupes audacieuses : on apercevait de jolies chevilles. Parfois, une femme aux cheveux courts surprenait les passants. L'habitude n'était pas prise de ces « casques de cheveux » qui, selon certains, supprimaient toute féminité et étaient réservés aux lesbiennes. Gino trouvait toute cette polémique idiote : une femme est une femme, point final. Il remarqua une passante, avec une robe droite et un chapeau cloche, très élégante. Elle avait laissé le Sénat derrière elle et se dirigeait d'un pas alerte vers le boulevard Saint-Michel. Regrettant instinctivement de ne pouvoir la suivre, Gino entra à La Chope du Luxembourg, choisit une table au fond et s'assit. Il commanda un marasquin, et examina l'endroit.

Des étudiants aux cheveux gominés étaient plongés dans leurs manuels. Des rapins en bourgeron noir, le chapeau à large bord posé crânement sur la tête, expliquaient les dernières tendances de l'art moderne. Il y avait des Jeunes patriotes, reconnaissables à leurs cannes à bout ferré, des professeurs portant monocle, des jeunes femmes qui lançaient pour certaines des regards inquiets, se demandant d'où viendrait leur prochain repas. Il régnait dans ce café une atmosphère à la fois studieuse et relâchée, soulignée par les miroirs et les barres de cuivre qui entouraient le bar interminable. Un quarteron d'habitués, la veste déboutonnée, échangeait des considérations sur l'état du monde. Un petit vendeur de journaux, en blouse bleue et casquette molle, entra en annonçant « La femme de Stavisky se défend ! Arlette Stavisky accuse une machination politique ! Le gouvernement en difficulté ! » Gino acheta un journal et se mit à lire. Rien de nouveau, sauf qu'Arlette, la jolie Arlette dont le Tout-Paris avait fait l'une de ses égéries, se battait pour blanchir son homme. Une photo montrait, d'assez loin, une femme souriante, en robe blanche, devant le Palais de Justice.

Gino vit Albert Prince entrer. Celui-ci se dirigea vers le quarteron d'habitués, posa son chapeau sur la banquette, commanda un bock, et on battit les cartes. Pendant une heure, il ne se passa rien d'autre. Puis, ramassant les quelques pions qui lui revenaient, le conseiller Prince se leva et se dirigea vers le fond gauche de la salle, où un recoin permettait un peu de discrétion. Il regarda autour de lui, s'installa, demanda du papier, un encrier et un buvard. Le garçon lui apporta l'écritoire en même temps qu'une colonnette d'allumettes. Le conseiller en prit une, la frotta contre la base soufrée de l'objet, et alluma un petit cigare. Un nuage de fumée l'enveloppa. Quelques minutes se passèrent ainsi.

C'est alors qu'une femme vint s'asseoir à côté de lui dans un bruit de soie froissée. Gino la reconnut immédiatement : c'était la belle inconnue au chapeau cloche. Il ne la voyait pas de face, ne distinguant qu'un profil perdu, mais elle était belle, de toute évidence. Elle avait quelque chose... Le conseiller semblait fondre : entre ces deux-là, une tendresse passait. Prince lui prit la main sur la table et la retira vite, de peur d'être remarqué. Dans un miroir qu'une applique au gaz éclairait mal, Gino vit que la femme souriait. Il décida ne se pas se faire repérer et se leva, paya, puis sortit.

Dehors, il alla s'adosser aux grilles du Luxembourg, protégé par son journal. C'était une belle soirée de juin : la lumière décroissait, le parc allait fermer dans une heure, et des insectes volaient dans la poussière poudrée de Paris. Quelques voitures passaient en vrombissant, tandis que des carrioles, tirées par des chevaux, livraient les magasins. Un agent de police moustachu déambulait, les mains dans le dos, la chique de tabac dans la bouche malgré l'interdiction préfectorale. Gino se laissa envelopper par cette chaleur délicate qui lui rappelait les soirées de Naples, quand il était enfant. Il ne manquait que les cris des porteurs d'eau : « *Aqua ! Aqua !* » Mais le bruit des pavés, le chuchotement de la fontaine, le passage des femmes de ménage, la main sur la hanche, avec leur panier de linge, tout était pareil : Paris ou Naples, se dit-il, les soirs sont les mêmes. Puis il rectifia : non, à Naples, il y avait la mer. Il se tourna vers le Luxembourg et imagina un instant que c'était de l'eau. Il avait devant lui la « mer luxembourgeoise ».

D'un geste vif, il arrêta la main d'un gaillard qui venait de le frôler. Tout à sa rêverie, il avait failli ne pas rester sur ses gardes. Un pickpocket avait essayé de lui faire les poches. Gino regarda l'homme, qui se serait enfui sans la poigne du policier.

– Alors, on a les mains qui traînent ?

L'homme tenta de s'arracher. Gino le dévisagea :

– Tu t'appelles comment ?

– Merde, c'est ma chance, je tombe sur la rousse !

– On ne dit plus la rousse, imbécile, on dit la police.

– Tout ce que vous voulez, chef.

– Alors ?

– Alors quoi ?

– Alors ton nom, sinon j'appelle le gardien de la paix, là.

– On m'appelle Rodolphe.

– Rodolphe... ?

– Bon, ça va. Rodolphe-les-pinceaux. Z'allez pas m'embarquer ?

– Non, mais si j'ai besoin de toi, je te trouve où ?

L'autre hésitait. Gino le lâcha, sortit son porte-feuille, lui montra un billet de dix francs.

– Où ?

– Ben ça... Vous demandez après moi au Bouillon Duval, rue Montmartre, vu ?

– Vu.

Rodolphe, encore inquiet, rafla le billet de dix. Puis, déjà presque parti, il pensa à demander :

– Y a quelque chose à gagner ?

– Pour sûr, Rodolphe. On est entre hommes, non ?

– Z'êtes un drôle de gonze, vous. Adieu.

Il fila. Gino vit la veste de l'homme se fondre dans la foule. Il rit intérieurement. C'est ainsi qu'on se constitue des alliés, lui avait appris Barnabé. Gino avait retenu la leçon.

Quand il se retourna, la femme au chapeau cloche était sortie de la brasserie, seule, et se diri-geait déjà vers l'entrée du jardin du Luxembourg près de la fontaine Médicis. Il lui emboîta le pas. Sous les frondaisons du parc, les statues semblaient surveiller les promeneurs. Des gamins en costume de marin et des petites filles à chapeau de paille couraient vers leurs parents : il y avait une odeur d'herbe tondue et de crottin. Gino longea le petit bassin de la fontaine Médicis, mais déjà, on sentait que le jour allait tomber. Le soleil accrochait les plus hautes branches des marronniers et, en pas-sant devant le Sénat, Gino vit la grande horloge. Il était sept heures du soir, les premiers sifflets des gardiens se mirent à retentir pour inviter les visiteurs à s'en aller. La belle inconnue ne semblait guère pressée. Elle passa devant le planton figé devant le jardinet personnel du président du Sénat, et entra. L'endroit était réservé à quelques privilégiés et l'on disait que c'était un lieu divin, où les fleurs envahissaient tout. C'est là que les hauts dignitaires de l'État donnaient certains rendez-vous, loin des oreilles indiscrètes.

Gino ne pouvait évidemment entrer à la suite de la visiteuse au chapeau cloche. Il se résigna à poursuivre son chemin, puis se ravisa et revint vers le Sénat. Là, entre la statue massive de l'Amour et un bosquet d'arbres très rares – des cèdres pleureurs –, il se faufila dans les plates-bandes. À cet endroit, tout était déjà dans l'ombre. Il écarta quelques branches, essayant de se repérer. Cette femme l'intéressait : était-elle la maîtresse du conseiller Prince ? Le conseiller avait l'air épris. Drôle d'affaire, se dit-il. Hier, j'étais dans une librairie sordide de Montparnasse et aujourd'hui, me voilà dans les jardins du Sénat. Baissant la tête, tenant son chapeau, Gino arriva devant une haie bien taillée. De la pointe de son épée, il dégagea une petite ouverture et tenta de distinguer ce qui se passait dans le jardinet.

Il vit d'abord un gazon impeccablement taillé, souligné par des rocailles disposées de façon artistique. Une petite fontaine mauresque gazouillait. Des rangées de fleurs sublimes menaient à un pavillon en verre, soutenu par des colonnettes en fer forgé ouvragé. C'était d'une rare beauté. Devant lui, un banc à pieds torsadés avait accueilli deux personnages. Gino reconnut sans peine la belle inconnue, assise de trois quarts. Il voyait ses mains gantées, son sac brodé, et elle semblait parler avec un homme. Gino le voyait mal : il entendait une voix basse, avec des inflexions paysannes, comme une sorte de grondement. Il se déplaça légèrement. L'inconnue semblait faire un rapport. L'homme alluma une cigarette épaisse, et Gino vit son visage. De gros yeux, une moustache carrée comme Charlie Chaplin, des mains de toucheur de bœufs. Cette tête lui était connue. Il fouilla sa mémoire, mais à cet instant, un planton passa dans le jardinet, faisant sa ronde, sabre au côté, plumeau au képi. Gino recula vivement et sortit près de la fontaine de l'Amour : personne ne l'avait vu. Il reprit sa nonchalance, tout en gardant un œil sur l'entrée du jardinet. Les sifflets des gardiens se faisaient insistants. Le parc se vidait, les grilles allaient fermer dans un instant. Gino ne pouvait rester. Tant pis, se dit-il. Il jetait le gant. Cette filature était intéressante, mais qu'avait-elle à voir avec la visite de Jeanne d'Arcy, avec la tentative de meurtre dont avait été victime Barnabé ? La logique contredisait l'instinct. Selon les apparences, Gino était juste tombé sur une banale affaire d'adultère, dont les couloirs de la République regorgeaient. Mais son intuition lui soufflait qu'il fallait s'accrocher. Il sortit par le portail de la rue de Vaugirard, parvint au carrefour Saint-Sulpice. Sous un tilleul, il s'assit sur un banc et, mordillant son fume-cigarette en ivoire, se mit à réfléchir. Qui était l'homme aux allures de conducteur de bestiaux ? Un ancien paysan ? Un préfet des colonies ? Un... Brusquement, il trouva : Daladier ! C'était Édouard Daladier. Le président du Conseil en personne, le chef du gouvernement. Voyons... Ce radical-socialiste avait été plusieurs fois ministre. Depuis son accession au poste suprême, en janvier 1933, il s'était heurté aux groupes nationalistes, qui lui menaient la vie dure. Son franc-parler était connu, ainsi que son habileté manœuvrière. Mais qu'est-ce que... ?

Tandis qu'il tentait de démêler les fils de l'histoire, Gino allongea les jambes. Il posa sa canne sur le banc, enleva ses gants et regarda s'approcher l'allumeur de réverbères. Il aurait préféré savourer cette soirée d'été à la terrasse d'un restaurant, en galante compagnie. Il vit passer un petit coursier qui sifflotait, la chemise ouverte, le panier à pain maintenu sur le ventre par une sangle. Quelques soldats traînaient, et le bruit provoqué par les roues ferrées d'un fiacre donnait à la scène un aspect irréel. Les fiacres étaient les vestiges du passé : on était à l'ère de la bicyclette et de l'automobile, mais certains excentriques aimaient les traditions, si bien que Paris était encore traversé par des chevaux.

Gino sentit comme un courant d'air sur sa nuque. Quelque chose de blanc traversa son champ visuel, sur la gauche. Il étendit la main vers sa canne, mais une autre main se posa sur la sienne. Prêt à se battre, Gino se dressa, le poing fermé. Il cherchait déjà le couteau à cran d'arrêt qu'il dissimulait dans le dos de sa veste. Une voix suave s'adressa alors à lui :

– Dites-moi, vous suivez toujours les femmes avec cette insistance ?

C'était la belle inconnue au chapeau cloche. Elle eut un sourire éblouissant, et dit simplement :

– Nous avons à parler, ne croyez-vous pas ?

– CHAPITRE 7 –

Le commissaire Barnabé se réveilla avec la bouche pâteuse et l'esprit embrumé. Il aperçut la silhouette du mont Blanc, là-bas, avec son cône de neige, et bâilla. Il avait dormi une bonne heure, assommé par l'altitude. Il se redressa, regarda autour de lui. Il n'y avait personne d'autre sur la terrasse de l'hôtel. Il prit une profonde inspiration et tendit la main vers sa veste, soigneusement pliée. Il se demanda vaguement ce qu'il faisait là : toute cette histoire lui déplaisait. Cortès ne lui était pas sympathique, et il n'y avait pas de bistrot, ici, comme à Paris, où l'on pouvait prendre un bock en lisant son journal. Il était sur une autre planète. À aucun moment, il ne lui vint l'idée d'envoyer une carte postale à Marinette : elle était habituée à ses absences. Alors qu'il allait se lever, il entendit la voix d'Alice.

— Monsieur le commissaire, réveillé ?

— Ah, bon sang, Alice, il ne fallait pas me laisser là ! J'ai perdu du temps.

Son nez le démangeait, signe d'un coup de soleil naissant. Il passa ses doigts dans ses cheveux, s'apprêta à saisir son melon, mais Alice, amusée, tenant ses mains derrière son dos, lui demanda :

– Qu'est-ce que j'ai pour vous ?

– Une bonne pensée, j'espère.

– Mieux.

– Un coupable ?

– Non. Un chapeau.

Elle le lui montra : un panama superbe, finement tressé, de couleur ivoire, avec un bandeau noir. C'était plus aéré, plus léger, plus... décontracté.

– Tu veux me transformer en vacancier, Alice, parole !

– Non. En élégant.

– Tu n'y arriveras pas.

Il mit le chapeau, secrètement ravi.

– J'ai l'air d'un hareng, avec ça, hein ?

– Non. D'un élégant.

– Ah, arrête. Tu as téléphoné à Gino ?

– Oui. Il n'était pas là. Jahandier m'a dit qu'il avait laissé un message pour vous : « Je m'occupe du Prince. »

– J'ai compris. Il est sur la piste du conseiller. Bon, en attendant, on continue. Il faut se renseigner sur la malheureuse Mireille Laborde. Je retourne voir le gendarme Beliveau.

Il se mit debout, enfila sa veste, mal à l'aise avec ce chapeau dont il n'avait pas l'habitude. Un groupe de touristes anglais, chaussettes hautes et sacs sur le dos, passèrent en faisant sonner leurs souliers cloutés. Alice posa sa main sur l'avant-bras du commissaire.

– Elle est à Briançon.

– Qui ça ?

– Mireille Laborde. C'est là que le légiste l'a examinée.

– Ah, tu t'es renseignée ? Bravo. On y va.

– Et vous savez quoi ?

– Vas-y. J'espère que tu n'as pas acheté un autre chapeau ridicule ?

– Sérieusement, commissaire. Vous savez qui a été chargé de l'affaire Laborde ?

– Non. Le Père Noël ?

– Le commissaire Frassetto.

– Guy Frassetto ?

– Lui-même. Je l'ai eu au téléphone. Je ne sais pas s'il était content de vous revoir ou simplement contrarié.

– Nous deux, ça remonte... murmura Barnabé.

Chacun partit chercher ses bagages dans sa chambre. Puis Barnabé se dirigea vers la réception de l'hôtel, demanda qu'on donne un tour de manivelle à la voiture, et s'installa au volant. Alice prit place à côté de lui, et ils partirent dans un nuage de poussière, blanchissant les touristes anglais au passage : aucune route n'était macadamisée.

Les premiers kilomètres furent difficiles. La route, étroite, zigzaguait, et de nombreuses pierres avaient roulé sur la chaussée, qui ressemblait à une piste. Concentré, l'œil rivé devant lui, Barnabé esquivait les obstacles, contournait les troupeaux, changeait de vitesse. Durant toute la descente vers Sallanches, ils ne croisèrent qu'un seul camion et un autobus bringuebalant. En revanche, des carrioles chargées de bûches ou de foin suivaient la même voie. Rien n'avait changé depuis des siècles :

la montagne restait à l'écart du monde moderne, et seuls quelques fous venaient s'y aventurer. Les congés payés, dont on parlait beaucoup, n'existaient pas encore : si une petite fonctionnaire comme Alice décidait de prendre une semaine de vacances, sa paie était tronquée. Les syndicats faisaient grand bruit autour de cette idée neuve, les vacances pour tous, et les bourgeois réagissaient en y voyant un « encouragement à la paresse ». Les élites étaient persuadées que les congés payés seraient le prélude à la mollesse générale, à un laisser-aller total. Bref, le pays était foutu si l'idée passait. Mais on en était loin. Selon les prévisions, une loi de cette nature n'avait aucune chance d'être votée avant le siècle prochain.

Ils avaient plus de deux cents kilomètres à faire. C'était une affaire de dix heures, au moins. Et encore : il fallait trouver de l'essence, du ravitaillement, si possible où dormir. Ils étaient partis en plein après-midi et, vu l'absence de signalisation – de vagues panneaux en fonte, parfois disposés aux carrefours –, il valait mieux ne pas rouler de nuit.

Passé Sallanches, la route se mit à suivre les méandres de la rivière. C'était plus simple : les crêtes, de chaque côté, indiquaient la direction. Le soleil ne parvenait plus au fond des vallées, et une petite brume s'installait délicatement en bordure de la forêt. Alice ne disait rien. Elle admirait le paysage. Au bout d'un moment, elle demanda :

– Frassetto, vous le connaissez bien ?

Barnabé ralentit, enclencha la troisième, évita un baudet et répondit rêveusement :

– Oui. Je l'ai rencontré à Aix-en-Provence, juste après la guerre...

Il laissa passer quelques minutes, gardant un œil sur les bas-côtés où quelques rochers instables étaient parfois tombés. Puis il remonta dans le passé...

*
**

La guerre venait de se terminer, laissant un pays ravagé, un peuple d'éclopés, un avenir incertain. Tous ceux qui, comme Barnabé, avaient connu l'horreur des tranchées, en étaient revenus comme possédés. De retour à Aix-en-Provence, l'inspecteur Barnabé jouait au poker et adoucissait les brûlures de ses cauchemars à grand renfort de brandy. Guy Frassetto, son aîné de cinq ans, était alors arrivé au commissariat d'Aix. Petit, vif, noiraud, Frassetto était roublard : sous l'apparence d'un brave garçon simple, il avait une intelligence acérée. Les deux hommes avaient immédiatement sympathisé. Quand Barnabé avait été nommé à Paris, ils avaient pris ensemble une dernière cuite mémorable, puis chacun avait suivi son chemin.

– Bref, c'est un type bien.

Cette conclusion, de la part de Barnabé, valait son poids de vérité. Le commissaire était avare d'éloges. Il se gratta le nez, qui n'allait pas tarder à peler, et se tourna vers Alice.

– On ne sera pas à Briançon ce soir. Il va falloir faire une halte.

Ils arrivaient dans une vaste vallée dominée par une statue de la Vierge. Ils traversèrent un village qui semblait mort : quelques passantes vêtues de noir se hâtaient et, dans la lumière déclinante, des chiens faméliques projetaient des ombres étranges.

Seule la place de l'église était pavée. Tout le reste du bourg était sillonné de chemins en terre. Une petite gare, où deux voies arrivaient parallèlement, indiquait aux visiteurs la fin du voyage. Un curé traversa la route : il était vieux, courbé sur son bréviaire, le bas de sa soutane était gris de poussière. Barnabé lui demanda s'il y avait un hôtel, une auberge, un quelconque endroit où passer la nuit. L'homme d'Église passa la main sur sa tête chauve, puis désigna une bâtisse en retrait, avec un étage et un toit en lauzes. Barnabé le remercia, obtint une petite bénédiction en retour, et dirigea la voiture vers l'auberge du Lion d'Or. Une femme d'un certain âge leur attribua deux chambres : celles-ci étaient entièrement en bois. Les plafonds bas, noircis par la fumée des cheminées, les murs, les meubles, tout avait été bâti à partir des mélèzes de la région. Une bonne odeur de résineux emplissait l'atmosphère. Chaque table de nuit possédait une bible, mais la maison n'avait pas le téléphone.

Allongé sur son lit, Barnabé pensa fugitivement à Alice : la situation devenait fausse. Amis ou amants ? Il ne se décidait pas. L'ombre d'Eleanora pesait sur sa vie. Il chassa ces pensées, se leva, alla se débarbouiller en versant l'eau du broc dans la cuvette en faïence. Puis il remonta ses bretelles, sortit son arme de service de son sac, vérifia son bon fonctionnement et la replaça entre deux chemises pliées. Une humeur sombre s'emparait de lui, comme à chaque fois que le destin le forçait à faire des choix qu'il ne désirait pas. Avoir une liaison, c'était s'engager. Or, sa vie commune avec Marinette le prouvait, peut-être était-il désormais incapable de sentiments. Peut-être.

Il descendit dans la salle à manger. Alice, vêtue d'un chandail rouge vif et d'une jupe noire, l'attendait. À son regard, elle comprit qu'il valait mieux ne rien dire. Ils dînèrent avec appétit d'une poule au pot garnie de légumes. Puis Barnabé posa son étui à cigarettes sur la table et, avec la première bouffée, constata :

– Il y a des balafres qui ne s'en vont pas.

Il désignait le trait fait par le coup de couteau, au Cadet-Roussel. Alice comprit. Bizarrement, elle ne retrouvait chez cet homme aucun des traits qui lui plaisaient habituellement. Sa mère avait été cousette à Notre-Dame-de-Lorette et, venue de province, avait fait son chemin toute seule. Alice était née peu de temps avant la guerre. Rapidement, elle avait eu le goût de la liberté... Elle regarda attentivement Barnabé. Ils se levèrent en même temps faisant grincer leurs chaises. Leurs épaules se touchèrent, et ce fut immédiat : Barnabé la saisit par la taille et l'embrassa. Ils montèrent l'escalier et, dans la nuit tombée, le commissaire l'enlaça de nouveau. Sa main descendit, saisit le bas de la jupe, la releva. Alice parvint à ouvrir la porte de sa chambre et ils entrèrent en silence, la respiration coupée. Elle alluma une chandelle, enleva son tricot. Un à un, ses vêtements tombèrent sur le sol. Barnabé ne la quittait pas des yeux.

– Ne bouge pas, ne bouge pas.

Il s'approcha. Elle demanda :

– Je vous plais ?

– Oui. J'aime tout ce que je vois, en ce moment.

Il était à quelques centimètres d'elle. Il reprit :

– Je croyais connaître ton visage. Mais non. Il y

a des choses qu'on ignore. Je ne savais pas que tu avais ce regard...

Il l'embrassa tendrement, longuement, et la porta jusqu'au lit. Dans la vieille auberge, ils firent l'amour sous la lune d'été qui éclairait la fenêtre. La nuit fut douce.

Le matin, dans l'air transparent de la montagne, ils reprirent la route. En début d'après-midi, ils étaient à Briançon. Frassetto les accueillit avec un large sourire et des gestes désordonnés.

– Heureux de te revoir, Barnabé.

– On causera après, Guy. Pour l'instant, voyons la malheureuse Mireille Laborde.

– Oui, tu as raison. Allons-y.

Ils traversèrent le bâtiment administratif qui jouxtait l'hôpital. Là, Frassetto les emmena vers une salle, tout au bout d'un couloir. C'était la chambre froide : une porte en bois, cerclée de fer, s'ouvrit avec un déclic. Une épaisse brume glacée s'en échappa et mordit le visage d'Alice. Un corps était recouvert d'une toile de jute et reposait sur un plateau. Frassetto demanda :

– Vous êtes prêts ? Ce n'est pas joli-joli...

Alice répondit par un signe de tête. Frassetto releva la toile épaisse. Le cadavre était atrocement mutilé. Mireille Laborde avait été éviscérée.

Assis dans son bureau, Frassetto fit servir des cafés. Devant lui, des dossiers traînaient dans un désordre apparent. Un journal annonçait que des poursuites avaient été engagées contre « l'escroc Stavisky ». Frassetto commença :

— Elle a été découverte le dimanche 22 mai, à Chamonix, par un groupe de randonneurs. Au début, vu l'état du cadavre, les gendarmes n'ont pu l'identifier. Ils ont diffusé le signalement de la victime et une femme de la région de Briançon, Rina Brosse, a reconnu sa locataire. Celle-ci, Mireille Laborde, était absente de chez elle depuis une semaine. Rina Brosse a ensuite identifié le corps après qu'il a été transféré ici.

— Vous êtes allés à Chamonix interroger les randonneurs ?

— Oui, on s'y est mis à plusieurs, tu penses bien. Laisse-moi reprendre la fiche. Ah, voilà : l'un d'eux, Pierre Hayet, dix-neuf ans, a aperçu une main qui dépassait d'un monticule de terre fraîchement amassée. Il en a fait part au guide du groupe, Julien Muguet, vingt-huit ans, originaire du coin. Ils ont creusé et ont découvert le corps.

— Et Rina Brosse, la logeuse, elle a dit quoi ?

— Elle avait l'air très affectée. Elle a insisté sur le fait que Mireille Laborde était une jeune femme très appréciée de son entourage et de ses élèves. Une excellente institutrice.

— Quel âge ?

— Vingt-quatre ans. Elle avait pris son poste d'enseignante dans les environs un an auparavant. Elle ne s'absentait que rarement et se rendait de temps en temps à Cannes, où elle avait des amis.

— Qu'est-ce que tu peux me dire d'autre ?

— Elle était enceinte.

— Qui le savait ?

— Peu de gens. Elle s'était un peu arrondie, mais

personne ne soupçonnait une grossesse. Elle n'était pas mariée, et une affaire comme ça lui aurait valu d'être renvoyée. L'Éducation nationale ne plaisante pas avec la moralité, mon vieux ! En général, elle était pudique et discrète. Serviable, dit-on. Ses parents, qui habitent Agde, ont été prévenus.

– Elle a été tuée là où on l'a trouvée ?

– Non. Je vais faire venir l'inspecteur Bon, qui a couvert cette partie de l'enquête.

Frassetto s'absenta un instant. Barnabé tendit la main et ouvrit le dossier. Il y avait des photos terribles : le corps éventré de Mireille Laborde luisait sous la lumière du flash. Ses traits étaient bouleversés par la peur. On distinguait le cou, noirci, sans doute violacé, et la langue enflée, pendante. Les yeux étaient grands ouverts, on les aurait dits prêts à sortir de leurs orbites. Mais il y avait pire : les seins avaient été découpés autour du mamelon...

Barnabé entendit les pas de Frassetto, de retour avec Bon. Il reposa le dossier. Une impression fugace traversa son esprit, impression qui se dissipa aussitôt ; inconsciemment, il avait noté quelque chose. Mais quoi ? Il tenta de retrouver cette sensation : rien.

– Voilà l'inspecteur Bon.

Ce dernier s'avança. C'était un petit homme au nez bulbeux et à la mâchoire carrée. Ses cheveux roux commençaient à l'abandonner. Il se dégageait de toute sa personne, une impression de ténacité appliquée, de travail consciencieux. L'inspecteur semblait flotter dans son costume croisé, et son pantalon large couvrait ses pieds : on aurait dit qu'il glissait sur le sol, comme un patineur.

– Jules-Gabriel Bon, pour vous servir, commissaire.

– Allons, allons, pas de manières. Parlez-moi plutôt de Laborde.

Tandis que l'inspecteur lui faisait part des maigres renseignements glanés sur une vie en apparence sans histoire, Barnabé cherchait. Quel était ce détail, bon sang ? Son nez, qui pelait, lui disait qu'il avait quelque chose devant lui, là, à toucher du doigt. Bon termina son exposé et proposa :

– Allons voir le cadavre, commissaire.

– Mais je viens de le voir...

– Je vais vous apporter d'autres précisions.

– Bon. Euh... Bien.

Alice, qui n'avait dit mot, resta assise. D'une petite voix, elle se fit entendre :

– Je crois que je vais rester là, messieurs.

Quand ils se retrouvèrent devant le cadavre, Bon souleva entièrement la toile de jute. Barnabé faillit détourner les yeux. Une deuxième vision était insoutenable. La poitrine était une plaie, l'abdomen était béant. Bon regarda Frassetto et demanda :

– On lui dit, patron ?

– Bien sûr, on lui dit.

– Voilà, commissaire Barnabé : on ne s'en aperçoit pas tout de suite, mais il y a une horreur de plus.

– Dites.

– Les organes génitaux ont été arrachés.

– Comment ça ?

– Quand l'assassin a eu fini d'éventrer et d'éviscérer la pauvre femme, il a continué sa macabre tâche de dissection. Il a arraché la matrice, les trompes et...

– Bon, ça va, j'ai compris. Elle a résisté, au début ?

– Oui. Elle s'est battue. Mais regardez encore.

Bon contourna la civière, et, aidé par Frassetto, retourna le cadavre. Quatre plaies apparurent. Frassetto, rageur, lança :

– Elle a été accrochée à des crocs de boucher. Puis dépendue. Puis rependue.

– Elle a dû souffrir atrocement, pauvre femme.

– Oui. Regardez les mains. Les ongles sont arrachés.

– Elle avait des objets sur elle ?

– Oui. On va vous les apporter.

Bon s'éclipsa. Frassetto entraîna Barnabé vers le bureau. Les deux hommes étaient sombres. Dans le couloir, Barnabé demanda :

– Elle était enceinte, n'est-ce pas ?

– Oui. Mais...

– Mais quoi ?

– On n'a pas retrouvé le fœtus.

Stupéfait, Barnabé s'arrêta net. Il réussit à dire :

– Mais quel monstre... ?

Bon les rejoignit dans le bureau. Il tenait un petit sachet de papier kraft, dans lequel les affaires de la victime étaient déposées. Il en versa le contenu sur la table de travail. Alice se pencha avec les autres. Il y avait là l'attirail habituel d'une femme qui prend soin d'elle : un bâton de rouge à lèvres, de la poudre, un peigne, quelques objets de maquillage. L'agenda était parcouru d'une écriture fine et soignée. Quelques pâtés attestaient le manque de qualité des plumes Sergent-Major en acier distribuées par l'Éducation nationale. Mais hormis quelques rendez-vous avec des parents d'élèves, il n'y avait pas grand-chose d'intéressant. Des photos aux bords dentelés montraient un couple d'un certain âge, devant une petite maison : « Ses parents », précisa Frassetto. Un collier d'argent, un bracelet d'orient, trois bagues dont une ornée d'une pierre du Rhin... Rien d'extravagant, juste les restes d'une vie à peine vécue. Alice, du bout du doigt, prit le tube.

– C'est nouveau. Le Rouge Baiser, une touche de coquetterie. Le rouge qui ne déteint pas, selon la réclame.

Les trois hommes la regardèrent. Peut-être, en effet, une femme aurait-elle un regard différent... Barnabé l'encouragea :

– Oui ?

Alice rejeta une mèche qui lui tombait sur l'œil. Elle saisit les bagues. La première, avec la pierre, était banale.

– Ça s'achète dans les grands magasins, ça. C'est joli, pas cher, très à la mode.

Elle prit la deuxième :

– Un anneau ouvragé, avec une guirlande tout autour. Le genre de bijou qu'on se transmet de mère en fille. Pour les grandes occasions.

– Ce qui signifie qu'elle l'aurait porté dans un but précis ? demanda Barnabé.

– Pas forcément. Peut-être simplement pour aller à la messe, par exemple.

Alice reposa l'objet. La dernière bague était toute simple : un anneau en or, assez large, guilloché. L'épaisseur du métal laissait supposer une certaine valeur. Les guillochis étaient très fins. Alice reprit :

– C'est très joli. Moderne, aussi. Les dessins, là, sont géométriques, avec des largeurs différentes. Souvent, les traits dissimulent une petite coulisse, où l'on peut graver un mot d'amour... L'avantage de ces bagues-là, c'est connu, c'est qu'on ne sait jamais si ce sont des ornements ou des alliances. Ça arrange bien des femmes...

Barnabé sursauta :

– Mais... Si c'en était une ?

– Une quoi ?

– Une alliance, bédame ! Une alliance !

Frassetto et Bon reprirent l'objet. Le premier sortit une loupe de son tiroir et examina la bague de près. Et en effet, une petite coulisse apparut, noyée dans les stries du dessin. Il tendit la bague à Alice.

– J'ai les doigts trop gros. Essayez d'ouvrir, avec votre ongle.

Alice se plaça sous la lumière d'une lampe. Pendant ce temps, Barnabé reprenait le dossier, sortait les photos, en jetait une sur la table : on y voyait la main gauche de Mireille Laborde, noyée de sang. Sauf l'annulaire, où une empreinte de bague apparaissait. Barnabé venait de retrouver ce qui le tracassait, le détail qui l'avait agacé.

– Elle la portait tout le temps. Son doigt est creusé d'un petit sillon, regardez. Ce n'était pas seulement pour faire joli. C'était bien une alliance. On la lui a retirée avant de la torturer : le sang a coulé sur l'annulaire. Les autres bagues ont été laissées en place, on voit les cercles blancs, non ensanglantés, sur les autres doigts. Mireille Laborde était mariée, messieurs !

Frassetto demanda :

– Mais avec qui, grands dieux ?

Alice, à ce moment-là, prit la loupe et, déchiffrant les minuscules lettres gravées dans l'épaisseur de l'or, réussit à lire : « Alexis. Amour ».

Barnabé reprit son panama et annonça :

– Eh bien, on va revoir ce monsieur.

– Vous le suspectez ?

– S'il n'est pas l'assassin, alors il est la prochaine victime. Dépêchons.

– CHAPITRE 8 –

Pour la dixième fois de la journée, Alexis Cortès réprima l'envie de tout envoyer promener. Il regarda par la fenêtre du chalet, puis revint vers le bureau, où étaient étalées les lettres de menaces. Il était blême. Sous le léger hâle dû au maquillage, de fines perles de transpiration se formaient. Il cogna sur le bureau, comme s'il voulait en fracturer l'acajou. Il aurait pu se casser les phalanges, et peut-être aurait-il aimé avoir mal physiquement, cristalliser son angoisse sur cette douleur. Il se retint de crier, contenant la rage qui l'asphyxiait.

Voilà des années qu'il étouffait, en réalité. Des années de simulacres et de calculs. Des années de soirées mondaines à crever d'ennui. Il avait perdu toute dignité : elle s'était délayée dans un océan d'ambition et de lâcheté. Partout, il avait eu des aventures secrètes. Aux États-Unis, où il fallait être prudent, car l'homosexualité y était mal tolérée. Quelques acteurs osaient transgresser l'interdit, et un jeune metteur en scène, George Cukor, réussissait à braver la morale puritaine et à vivre dans le culte du corps masculin. James Whale, qui avait pourtant réalisé un superbe *Frankenstein* deux ans

113

plus tôt, avait plus de mal à exister dans l'ombre. Et il ne fallait pas oublier ce metteur en scène allemand, assassiné par son chauffeur jaloux... Les choses avaient été plus simples à Berlin, pendant le tournage de *L'Étang de Maldoror* : le réalisateur luimême était bisexuel et, dans l'atmosphère décadente des studios de la U.F.A., tout était permis. Alexis Cortès avait couché avec lui, provoquant une scène de son assistant, Laurent Berry. Mais Laurent n'était pas resté longtemps, et les choses s'étaient calmées. Depuis, ils avaient repris leur vie mondaine à Paris, fréquentant la comtesse Frascati, dînant avec les Delambre-Belmont, se rendant au théâtre des Champs-Élysées pour voir les Ballets russes et apparaissant aux cocktails donnés par Alexandre Stavisky qui, disait-on, voulait financer un film.

Lorsqu'il avait reçu le premier message, quelques mois auparavant, à Paris, Cortès avait eu un choc. Il avait mis la lettre à la poubelle, persuadé d'une mauvaise plaisanterie. Il ne l'avait même pas montrée à Laurent, qui l'aurait probablement mal pris. Mais une semaine plus tard, un deuxième message était parvenu à son domicile parisien : « *Sale tapette, ton ascension est terminée.* » Ce n'était pas une plaisanterie : le ton, hargneux, ne laissait aucun doute. C'était sérieux. Alexis Cortès pensa tout d'abord qu'il s'agissait d'un jaloux – en amour ou à l'écran. Il chercha dans le cercle de ses rivaux qui briguaient un premier rôle... Avait-il évincé quelqu'un ? Humilié un comédien ? Dans ce métier, on se faisait tant d'ennemis... De fait, il pouvait s'agir de n'importe qui, même d'un employé subalterne des studios : à Berlin, il y avait des yeux et des oreilles partout, malgré la décadence générale.

Il commença par s'enfermer dans son bureau, canalisant son attention sur les scénarios qu'on lui envoyait : *Un soir de rafle*, de Carmine Gallone ; *Le Contrôleur des wagons-lits*, de Richard Eichberg ; *Quelle drôle de gosse !* de Léo Joannon... Mais il ne parvenait pas à se concentrer. Chaque fois que retentissait la sonnette, il bondissait.

– Laurent ! Assure-toi que ce n'est pas un fâcheux !

Puis l'angoisse le submergeait. Quelques semaines se passèrent ainsi, dans une oisiveté camouflée par ses lectures. Puis, un soir, un petit coursier lui porta une enveloppe. Il la décacheta et sursauta.

« *Tu vas crever bientôt, pauvre type, mais avant, le monde entier saura qui tu es...* »

Cette nuit-là, ravagé par la peur, Alexis Cortès sortit tromper sa solitude dans un endroit bondé – La Boule blanche, à Montparnasse – et coucha avec un marin de passage, qui en profita pour le frapper et le dévaliser.

Deux jours plus tard, il était convoqué aux studios de Billancourt, où on lui fit faire des essais pour *La Fille de la Madelon*, un drame en costumes. Quand il en sortit, il regarda la Seine, fatigué : le bruit des caméras à manivelle, la chaleur brûlante des énormes projecteurs, la difficulté de s'adapter aux toutes nouvelles techniques du son, avec des micros gros comme des assiettes à fromage, tout nécessitait une attention harassante. Il marcha à l'air libre un grand moment. Paris, là-bas, brillait de tous ses feux. Il était amer : tant d'années d'acharnement et de complaisance pour parvenir à cette popularité dont il avait tellement rêvé, et cette épée de Damoclès au-dessus de lui. Il y avait bien une autre solution : tout dire, tout déballer, se couvrir d'opprobre. Sa carrière serait finie et, dans l'ambiance empoisonnée de la presse de 1933, il serait jeté en pâture aux échotiers à scandale, voire aux feuilles nationalistes qui traquaient la perte des « valeurs » et vomissaient tous ceux qui souillaient la France éternelle.

Il revint vers sa voiture, une Bugatti royale bleu indigo, douze cylindres en ligne, un monstre de beauté. Sur le pare-brise se trouvait une feuille de papier pliée en quatre. Cortès jeta un coup d'œil circulaire : personne. La rue, semée de réverbères, était déserte. Il s'agissait d'une nouvelle menace, il en était sûr. Il déplia la feuille et vit un article de journal. Le titre annonçait : « Une jeune institutrice assassinée à Chamonix ». Ses jambes se dérobèrent sous lui. Il s'assit sur le marchepied de la Bugatti et, défait, eut l'impression de couler.

Car c'était son secret ultime, son être intime que l'on venait d'assassiner.

Il eut envie de vomir. Mireille Laborde... Une boule d'angoisse, de peur et d'amertume s'était formée dans sa gorge. Mireille Laborde, si douce, si jolie, si désintéressée... Ils s'étaient rencontrés à Cannes, où Alexis tournait *Été sans frontières*. La jeune enseignante avait du charme, et une grande passion pour le cinéma. Avec son petit nez retroussé et ses fossettes, elle était l'incarnation même de la

gentillesse : l'homosexualité de Cortès ne l'effarou-
chait pas, bien au contraire. Cette part féminine,
chez un homme, la touchait, et elle comprenait très
bien les sacrifices imposés. Il y avait en elle quelque
chose d'une infirmière : elle savait porter secours,
écouter, aimer. Peu à peu, au fil des jours, Cortès
s'était abandonné, dans un secret absolu. Il n'était
pas question de susciter la jalousie de Laurent
Berry, ni d'encourir les moqueries des autres homosexuels, qui auraient accusé « Alexine » de trahison.
Alexis et Mireille avaient continué à se voir, dans la
discrétion d'appartements loués ou d'auberges de
campagne. Pendant plusieurs mois, l'affaire était
restée en l'état : une amitié amoureuse, dont le cap
sexuel n'était pas franchi. Finalement, un soir, ils
avaient essayé. Ils étaient devenus amants. Le
plaisir qu'il en tira ne fut pas extraordinaire – il préférait incontestablement les garçons, leur peau,
leurs mains, leurs barbes mal rasées –, mais Alexis
avait sacrifié à ce rituel pour affirmer ses relations
avec Mireille qui, en définitive, lui était chère.

Quand elle le rejoignit à Chamonix lors des
vacances scolaires de Pâques, une certaine distance
s'était installée, due à l'éloignement et, aussi, aux
humeurs de l'acteur.

Elle avait alors constaté qu'elle était enceinte.
Terrifié par un possible scandale, déchiré entre son
devoir et sa carrière, mais heureux, aussi, d'avoir
un enfant, Alexis ne s'était confié à personne. Pendant dix jours, il avait retourné le problème dans
tous les sens, pour parvenir à une conclusion : il
devait épouser Mireille, à condition que celle-ci
garde ce mariage secret. Il reconnaîtrait l'enfant à
sa naissance, verserait une pension mensuelle et,

dans l'ombre, serait un père aussi protecteur que possible. Dans l'ombre... Ils se marièrent à Bruxelles lors d'une cérémonie rapide, loin de toute connaissance et, surtout, loin des journalistes. Il lui avait offert une alliance en or qu'il avait achetée à Berlin, et qu'il avait fait graver. En bougeant le petit cache coulissant, où l'on pouvait lire : « Alexis. Amour », Mireille eut un sourire immense, grand comme le soleil. C'est l'image qu'il gardait d'elle...

Ainsi, elle était morte ! Cortès, blanc comme un linge, se releva et s'installa au volant de sa Bugatti. Il avait envie de fuir loin, très loin, de dormir. Il démarra en faisant crisser les pneus et se mit à conduire dans une sorte d'absence. Il suivit la Seine, et jamais mois de mai ne lui avait paru plus sinistre. Malgré les arbres en feuilles, les parterres devant la tour Eiffel, l'air qui embaumait, Cortès restait insensible au charme du paysage. Pourvu que personne n'évente le secret, se dit-il. L'avenir lui paraissait plus sombre que jamais. La tour Eiffel disparut derrière lui, dans la nuit, et il fit route vers les Grands Boulevards, où il n'aurait pas de mal à trouver un giton pour la nuit.

Tandis qu'il se remémorait ces événements récents, Cortès sentit le poids du destin s'abattre sur lui. Il aurait eu besoin de la présence de Laurent, ici, au chalet, pour l'aider à traverser cette épreuve. Cette nouvelle lettre le terrifiait : qui sait si l'assassin de Mireille n'était pas le corbeau qui lui envoyait ces missives empoisonnées ? Mais Laurent supervisait le nouveau contrat qui devait lier Cortès à Pathé. La firme au coq voulait en effet s'attacher l'acteur pour une série de sept films : le choix du scénario, du metteur en scène et des autres comédiens était soumis à l'approbation de Cortès. C'était parfait : une star qui avait les pouvoirs d'un roi.

Il entendit frapper à la porte, en bas. Il écarta un rideau et reconnut le visiteur, qui lui fit un petit signe. Pensif, Cortès posa la lettre sur le bureau et descendit ouvrir. Il ne s'attendait pas à cette visite, mais il ne chercha même pas à comprendre, il ouvrit la porte.

Barnabé négociait les virages avec habileté. Le trajet était le même qu'à l'aller et pourtant, cette fois-ci, il n'avait pas le même charme. L'urgence, c'était d'arriver au plus vite. Alice, ballottée, demanda, par-dessus le rugissement du moteur :

– Qu'est-ce que tu en penses ?

– Le type qui a fait ça est un fou. Ou...

– Ou... ?

– Ou bien il a une puissante raison de faire ce qu'il fait.

– Laquelle ?

– Je ne sais pas. Il faut une haine démesurée pour s'attaquer à quelqu'un de cette façon. Ce n'est plus de la haine, d'ailleurs, c'est une rage barbare.

– Pourquoi avoir emporté le fœtus ?

– Aucune idée.

Il se tut. Il était difficile d'avoir une conversation tout en restant concentré sur la conduite. La route en terre menaçait de faire déraper l'arrière de la voiture à chaque virage. En dépassant les paysans et les bûcherons, ils apercevaient ceux-ci levant le poing ou protestant devant le nuage de poussière grise qui s'abattait au passage du véhicule. Les animaux renâclaient : un mulet faillit être embouti. Barnabé, malgré tout, gardait le pied sur l'accélérateur. Selon ses calculs, ils faisaient une moyenne de trente kilomètres à l'heure avec des pointes à cinquante, mais en ralentissant dans les passages à flanc de montagne, où la route n'était pas sécurisée. Tout en se démenant avec le grand volant qui exigeait une certaine force musculaire, le commissaire, panama sur la tête, restait préoccupé. Il y avait quelque chose dans cette affaire qui lui disait que le meurtrier n'était pas fou. Pas dans le sens traditionnel du terme en tout cas : on ne le verrait pas, ce meurtrier, délirer tout seul dans la rue, raconter des sornettes à la lune ou insulter les passants. Non, c'était quelqu'un de méthodique, de froid et, dans une certaine mesure, de logique. Il n'avait pas éviscéré sa victime uniquement pour s'amuser ou s'exciter. Il poursuivait un but. Les récentes découvertes d'un docteur autrichien, que beaucoup tenaient pour un charlatan, impliquaient qu'une part de nous-mêmes était cachée, ou, comme il disait, inconsciente. Barnabé ne comprenait pas exactement ce qu'il entendait par là, mais il croyait à la véracité de cette idée. Il y avait, en chacun, une part d'ombre. Barnabé, qui était un solitaire et qui avait vu la mort de très près à Verdun, comprenait que l'adversaire, le tueur, partageait cette même solitude et cette même proximité avec le trépas. Son instinct lui disait que, peut-être, il saurait pénétrer dans l'esprit du monstre.

Ils mirent huit heures – un record ! – pour aller de Briançon à Chamonix. À leur arrivée, ils virent un attroupement devant la petite gendarmerie. Barnabé freina, et ne prenant pas même la peine de couper le moteur, se précipita. Il écarta les curieux et, soufflant, vit l'adjudant Beliveau, entouré de deux gendarmes. Beliveau, sanglé dans un uniforme froissé, désigna l'entrée de la gendarmerie et demanda à l'un de ses hommes :

– Riquet, fermez la porte !

Mais les badauds, dehors, avaient déjà pu voir le cadavre posé sur une table, recouvert d'une toile grossière. Barnabé n'eut aucun doute sur l'identité de la victime. Alice, qui l'avait suivi, murmura :

– Mon Dieu ! C'est Cortès !

Ils s'approchèrent. Beliveau salua, présenta ses hommes. D'un geste craintif, il découvrit le visage du cadavre. Visiblement, Cortès avait souffert. Barnabé demanda :

– Qui l'a découvert ?

– Le boulanger. Il allait livrer le pain à la ferme à côté du chalet de Cortès. C'était le jour où le fermier Chaignier devait le payer. En longeant le mur arrière du chalet, le témoin a vu un pied dépasser d'une meule de foin. Il est allé chercher Chaignier et, ensemble, ils ont constaté que Cortès était mort, puis sont venus me voir.

– Bien. Voyons le reste.

– Vous êtes sûr ? Ce n'est pas un spectacle pour les femmes...

– Elle s'en ira si elle en éprouve le besoin. N'est-ce pas, Alice ?

Celle-ci n'avait guère envie de contempler d'autres horreurs, mais elle voulait tenir bon. Barnabé demanda aux trois gendarmes :

– Vous avez une théorie ? Un suspect possible ?

Riquet se dandina d'une jambe sur l'autre jusqu'à ce que Beliveau lui dise :

– Parlez, Riquet, dites ce que nous pensons tous.

Riquet se gratta le front, gêné, et sa haute taille le rendait encore plus pathétique. Il se lança quand même.

– On pense que c'est un fou, commissaire. Pas quelqu'un d'ici, c'est pas possible. On connaît tout le monde, même les gens qui ne viennent que pour la saison. On voit pas. C'est un déséquilibré qui a fait ça, un rôdeur, un étranger, quoi.

Les autres semblaient d'accord. C'est la maladie des gendarmes, pensa Barnabé. Ils vivent avec les gens, ils y sont attachés, ils les fréquentent, ils deviennent amis avec la population du village où ils sont en poste. Ils bavardent avec le postier, jouent aux cartes avec le maire, boivent un verre avec le fermier... Comment pourraient-ils les soupçonner ? Pour eux, le coupable, c'est toujours l'étranger, celui qui vient d'ailleurs. Ils ne voient pas la noirceur de l'âme humaine. Jekyll fait partie de leurs proches, mais Hyde est un inconnu. Barnabé désigna le cadavre à l'adjudant et dit :

– Allez-y.

Beliveau découvrit les épaules de Cortès. Celui-ci était mort avec une expression d'horreur totale. Quand Beliveau continua à ôter la toile, on vit une incision terrible, qui commençait au sternum, qui s'achevait sous le nombril, et qui avait été grossièrement recousue. Les chairs, flasques, laissaient deviner qu'il manquait des organes. Puis Beliveau hésita. Barnabé l'encouragea :

– Allez-y, continuez.

D'une main incertaine, Beliveau découvrit le bassin. Alice porta la main à sa bouche dans un gémissement. Alexis Cortès avait été émasculé.

Passé le premier moment de stupéfaction, le gendarme Riquet, un grand gaillard sec comme un coup de trique, pointa le doigt sur le cadavre.

— Commissaire, regardez, du côté gauche, à hauteur du sein.

Ils se penchèrent. Sous l'aisselle apparaissait une sorte de dessin rudimentaire. Barnabé demanda :

— C'est quoi, une cicatrice ?

— Plutôt un tatouage. Regardez. Ce sont des traces de piqûres avec du sang qui a noirci en séchant.

— J'ai l'impression de distinguer des lettres. B et P ou B et R ?

— Difficile à dire.

Il commençait à faire chaud. Le cadavre ne pourrait longtemps séjourner ici. Ils allaient devoir le conserver dans de la glace, puis l'enterrer. Barnabé examina les poignets de la victime. Il demanda à Alice de prendre des notes. Celle-ci, soulagée d'avoir quelque chose à faire, s'empara d'un crayon noir et d'un bloc de papier.

— Note, Alice. Alexis Cortès a été déplacé après sa mort. Il y a des traces sur ses poignets et ses chevilles. Le sang s'est accumulé là comme s'il avait été pendu. Pourtant, l'os hyoïde, situé à la partie antérieure du cou, est intact. Il n'a donc pas été pendu, du moins il n'y a pas eu strangulation. Il a dû être maintenu debout quelque temps après sa mort...

— Debout ?

— Oui, debout. Suspendu par les poignets et les chevilles à l'aide d'une corde. Comme les bœufs à l'abattoir.

Beliveau demanda :

– Mais il a dû se débattre ?

– Probablement, mais il n'y a pas de traces de coups. L'incision n'a pas été faite par un professionnel. Regardez : la peau a été grattée au niveau de l'abdomen, à l'intérieur, comme si on avait voulu prélever de la graisse. Puis tout a été recousu à la va-vite. Il n'est pas impossible qu'il ait été chloroformé.

Beliveau était de plus en plus pâle. Il recula. Enlevant son képi, il s'épongea le front. Les autres s'éloignèrent à leur tour. Le troisième gendarme recouvrit le cadavre. Barnabé prit une chaise, l'avança pour Alice. Elle s'assit, blême. Le commissaire reprit la parole :

– Eh bien ?

– Écoutez, commissaire. Je sais que nous sommes en service et tout, mais...

Beliveau désignait une bouteille de gnôle, sortie d'un tiroir.

– Pour les urgences, dit-il.

Ils burent dans de petits verres épais. C'était un alcool puissant, qui arrachait la gorge et brûlait l'estomac. Ils secouèrent leurs verres, laissant choir la dernière goutte sur le sol recouvert de linoléum. Puis Beliveau, embarrassé, regarda Barnabé.

– J'ai quelque chose d'autre à vous montrer.

– Ah ?

– Oui. Mais cette fois-ci, sans la petite dame. Désolé, madame, mais...

Alice inclina la tête.

Les deux hommes passèrent dans un bureau adjacent. Beliveau ferma la porte. Il régnait là une plus grande fraîcheur : l'ombre de la montagne, de ce côté-ci, couvrait le bâtiment de la gendarmerie.

Sur un petit meuble, près d'un évier, se trouvait un bac en acier, recouvert d'une plaque maintenue par des pinces. Beliveau avança et défit les pinces. Barnabé se pencha :

– Seigneur !

Dans la cavité abdominale d'Alexis Cortès, les policiers avaient trouvé un fœtus.

Barnabé eut l'impression que les ténèbres se refermaient sur lui.

– CHAPITRE 9 –

Lipp étincelait. Des quinquets laissaient échapper de la fumée et, dans un ballet de garçons de café vêtus de longs tabliers, les habitués étaient servis avec la désinvolture stylée qui caractérisait l'endroit. On distinguait des têtes connues : Moro-Giafferi, l'avocat le plus célèbre de Paris, mangeait seul, faisant le modeste mais commandant des plats avec une ostentation qu'il avait perfectionnée dans les prétoires ; Joseph Kessel, déchaîné, écrivait un article sur le coin d'une table en buvant bouteille sur bouteille, et ses amis le regardaient ensuite manger son verre avec des éclats de rire tonitruants. C'était un numéro très apprécié, et la jolie blonde qui accompagnait l'écrivain semblait en admiration devant ses prouesses.

Gino avait préféré rester en terrasse. Là, dans la demi-pénombre que les platanes offraient à la nuit tombante, il avait ses habitudes. À condition de savoir se placer, on pouvait surveiller toute la salle, garder un œil sur les entrants et demeurer à l'écart. C'était un mécanisme astucieux qu'il avait mis au point depuis longtemps pour voir sans être vu. Il fit un geste à sa belle compagne, et celle-ci s'assit en plissant élégamment sa jupe, comme un mannequin professionnel. Une sorte de grâce légère, mêlée d'une curieuse force, émanait d'elle. Elle était ravissante : grande, une silhouette parfaite, un nez légèrement busqué, des yeux de braise, une lèvre supérieure légèrement retroussée. Il était temps, en effet, de faire connaissance. Légèrement agacé, quoique admiratif, d'avoir été repéré, Gino regardait l'inconnue. Sous son chapeau cloche, elle avait l'air, oui, d'une aventurière exotique. Il avait hâte d'en apprendre plus.

Elle tira une cigarette mauve de son sac, et en lissa le bout doré. Il en profita pour se pencher sur elle, grattant l'une des allumettes disposées en éventail sur la table. Il fit signe à un garçon affairé qui, fidèle aux manières de l'établissement, ignora superbement le client. C'était ainsi : chez Lipp, les serveurs n'étaient pas des esclaves. Ils daignaient apporter les commandes, mais avec une moue de dédain. Ils prenaient malgré tout les pourboires, « comme dans les bistrots de deuxième zone », pensa Gino. Il jeta un coup d'œil sur les chevilles gainées de soie fine de son invitée. Des petites chaussures à brides, mi-hautes, mettaient en valeur un pied joliment cambré. Attention, Gino, se dit-il : terrain dangereux. De toute évidence, il avait affaire à une chatte sauvage.

À la première bouffée, l'inconnue plissa les yeux. Gino remarqua que son sac, losangé de noir et de blanc à la manière des toiles cubistes, était assez grand pour contenir des documents. Il s'en fit la réflexion et, agrippant un serveur, commanda d'une voix sans réplique : « Champagne. Une bouteille de Krug 1909, et rapidement. » Le garçon regarda ce client impatient et, reconnaissant Gino, se borna à répondre :

– Tout de suite, monsieur.

C'est que le serveur avait été autrefois arrêté pour grivèlerie et Gino, reconnaissant un compatriote italien, l'avait « arrangé ».

La femme remonta une boucle qui s'échappait.

– Vous n'êtes pas très subtil, monsieur...

– Gino Antonioni. Pour vous servir, madame. À qui ai-je l'honneur ?

– Vous le saurez plus tard. Dites-moi plutôt, vous, ce que vous me voulez.

Gino lissa sa moustache, pinça le pli de son pantalon, mit le pouce dans l'emmanchure de son gilet et, l'air avantageux, répondit :

– Pour une belle femme, je me ferais damner.

Elle éclata d'un rire narquois qui ne laissait aucun doute. Elle ne le croyait pas.

– Non, non, monsieur. Vous êtes galant, certes, mais quel galant irait relâcher un pickpocket qui tente de lui faire les poches ?

Ainsi, elle avait vu la scène avec Rodolphe-les-pinceaux ! Rien ne lui échappait... Cette conversation tournait au jeu d'échecs. Il fallait être fin. Il concéda :

– Touché. Mais dites-moi, madame, qu'est-ce qui vous fait courir ainsi ?

La femme regarda ses gants, ouvrit son sac dont elle tira un petit miroir et, se repoudrant, annonça simplement :

– Jeanne d'Arcy, ça vous dit quelque chose ? Comme vous, comme votre patron, le commissaire Barnabé, je la cherche.

– Mais à quel titre, madame ?

– À quel titre ? Mais à tous les titres, monsieur Antonioni ! Cette femme est dangereuse. Elle en veut à mon mari, et elle a juré la perte du commissaire Barnabé pour ce qui vous concerne directement.

– Et qui est votre mari ?

– Alexandre Stavisky. Je suis Arlette Stavisky.

L'aventure prenait soudain un tour plus grave. Évidemment, comme tout le monde, et mieux que tout le monde, Gino avait suivi l'affaire Stavisky. Traqué par la justice, ce viveur flamboyant menaçait d'impliquer toute la caste politique, qui avait prêté la main à ses trafics peu reluisants, mais juteux. D'immenses sommes avaient été engouffrées : députés, banquiers, affairistes, boursicoteurs, sénateurs, avocats, préfets, tous avaient été compromis. Longtemps surveillé par les limiers du procureur de la République, Georges Pressard, puis par la section financière d'Albert Prince, il avait échappé à toutes les poursuites, à force de pots-de-vin, de gratifications et de dessous-de-table. Le scandale, s'il était révélé dans toute son ampleur, menaçait l'État. Les intéressés s'agitaient pour enterrer l'affaire, et le public suivait avec passion cette drôle d'histoire, la plus importante depuis longtemps.

Attablés devant un plateau d'huîtres, les deux interlocuteurs s'observaient. Après tout, Gino avait vu cette femme en compagnie du conseiller Prince, et tout laissait penser qu'ils étaient intimes. Derrière la façade du magistrat vertueux, Albert Prince aimait la bonne vie : il avait ses habitudes dans plusieurs maisons de tolérance, des mieux fréquentées... Et puis Gino avait été témoin de son échange avec Édouard Daladier, le chef du gouvernement. Il convenait de faire attention.

Voyant le trouble du jeune homme sous sa désinvolture affichée, Arlette Stavisky décida de prendre les choses en main. Reposant une coquille d'une main délicate, elle dit :

– Laissez-moi vous expliquer.

– Mais...

– Non, non, laissez-moi faire. Je ne sais pas où commencer...

– Par le début, madame. C'est plus simple.

– Ah, cessez de vous moquer de moi ! Voilà. Je suis issue d'une famille étrange. Mon père, qui avait un magasin de décoration boulevard Haussmann, m'a élevée comme une enfant chérie. J'ai étudié le latin et les mathématiques, j'ai joué au cerceau devant la demeure d'un monsieur très silencieux qu'on voyait passer comme un spectre et qui était Marcel Proust. Mais ma mère était malheureuse. Pour quel motif, je ne l'ai jamais su. Toujours est-il que la mort de mon père, en 1919, a semblé la libérer. Elle a ensuite mené une vie de, oui... de bamboche, et a oublié jusqu'à ma présence. C'était comme si je n'avais jamais existé. Et, ma foi, ce n'était pas plus mal. J'ai été recueillie par la famille de mon père, des pharmaciens de Blois, dont je me suis assez vite affranchie. Que voulez-vous, quand on a le goût du luxe et que l'horizon s'ouvre, on en profite.

Elle souleva sa flûte de champagne, but une gorgée et, rêveuse, poursuivit :

131

– Paris, comme vous le savez, était alors le lieu de toutes les tentations. Quand j'ai vu les cafés des Boulevards, cette agitation, ce luxe, ces messieurs... J'avais dix-neuf ans, nous étions en 1922, tout me semblait possible. J'ai rencontré l'homme de ma vie, un sculpteur argentin, et je l'ai épousé. Las, l'amour de ma vie a duré... quelques mois. L'éternité, c'est un conte pour les enfants, n'est-ce pas ?

Gino opina. Il eut une brève pensée pour Barnabé. Que penserait-il de cette étrange rencontre ? Il remarqua :

– Mais nous y croyons tous, à chaque fois.

– Sans doute. Cela dit, quand je me suis retrouvée seule, avec de petits moyens, moi qui n'avais manqué de rien, j'ai cherché à me refaire, comme on dit dans les milieux du jeu. Je suis devenue mannequin chez Chanel. Mademoiselle a eu la bonté de m'engager. La belle vie a commencé. Dîners, invitations, vernissages, spectacles... Ah, mon cher Gino, si vous aviez vu ces années-là ! Elles étaient folles...

– Mais je les ai vues, je les ai vues. Du côté de l'obscurité...

– Bien sûr. Un policier n'a pas la même vision des choses. J'ai rencontré Alexandre Stavisky lors d'un dîner. Il m'a plu : beau, charmant, généreux, il était riche.

– Comment le saviez-vous ?

– Un homme qui s'habille chez les meilleurs tailleurs et qui circule en limousine...

– Ah ?

– Oui, il en avait même deux. Une Georges-Trat et une Roland-Pillain. Toutes deux étaient bleues. J'avoue que j'ai été...

– Séduite ?

– Disons... Attentive, plutôt. Nous étions, je crois, en 1925.

– Coup de foudre ?

– Oui et non. Car Alexandre – Sacha – avait déjà des maîtresses, vous imaginez bien. Il y avait notamment une actrice, Suzanne Le Bret, et la fameuse Jeanne d'Arcy... Je vous passe la valse des autres figurantes... Bref, nous avons mené la vie à grand train. Ah, si vous nous aviez vus sur le boulevard des Capucines, plus élégants que les élégants... On nous connaissait. Les croupiers, les chasseurs, les portiers... Quelle fête ! Puis nous avons commencé à passer nos vacances ensemble. En 1928, au Touquet ; en 1930, au Negresco, à Nice, puis au Plaza à Biarritz... Nous avons dû nous croiser, n'est-ce pas ?

– Peut-être. Vous étiez seuls ?

– Pensez-vous ! Sacha était toujours accompagné de ses associés, Hayotte, Henri Cohen, Hudelo... Une fois, même, Pierre Laval est venu passer quelques jours avec nous... Il était sénateur, à l'époque.

– Vous ignoriez tout des activités de votre amant ?

– Il est très vite devenu mon mari. En effet, j'ignorais tout. Il faut dire que toutes ces affaires ne m'intéressaient guère. Un jour, j'ai rencontré à Deauville une amie, Jacqueline Vatin-Pérignon, que j'avais connue chez Chanel. Elle m'a mise en garde contre les infidélités de Sacha et les affaires « douteuses », prétendait-elle, qu'il menait. J'ai simplement ri. Et la vie a continué de plus belle.

– Vous n'avez jamais assisté à des tractations d'affaires ?

– Non. Sauf une fois. Nous habitions alors à Marly-le-Roi, et j'allais accoucher de notre premier enfant. Un visiteur est venu nous voir, c'était Jean Galmot, qui venait, disait-il, d'abandonner « l'affaire des rhums ». Il voulait passer la frontière suisse pour filer en Guyane... Je crois que Sacha a donné des instructions à Hayotte pour l'aider.

La nuit était totalement tombée, maintenant. Les lumières du restaurant avaient baissé, conviant à une douce intimité. Gino, malgré son aplomb, était troublé. Tout, dans cette femme, était insolite, nouveau : il n'avait guère l'habitude des aventurières. Son monde était plutôt constitué de soubrettes, de cousettes, de demi-mondaines : cette intrigante aux allures de grande bourgeoise le déstabilisait. Il regardait, à la dérobée, ses chevilles et cette veste coupée en V, qui laissait apparaître la naissance d'une poitrine ronde... Ils commandèrent une autre bouteille de champagne, et la soirée prit l'allure d'un rendez-vous amical. Gino avait du mal à se souvenir qu'il était en service commandé et que son unique but, dans l'immédiat, était de trouver le criminel qui avait tenté de frapper Barnabé. Il avait bien noté qu'elle citait Hayotte, l'un des louches personnages qu'il avait aperçus dans l'officine de la rue de la Gaîté. Tiens, tiens, se dit-il. Comme on se retrouve... Il se reprit :

– D'autres dîners de cette nature ?

– Oh, certainement. Mais j'avoue que tout ça ne m'intéressait pas. Je me souviens d'un dîner chez Larue, en compagnie du préfet de la Haute-Savoie, Armand Juillet, d'un député à court d'argent, Louis Proust, et de Garat, le président du Crédit municipal de Bayonne... Ce dernier était accompagné d'un jeune protégé, Laurent Berry.

Gino tressaillit. Que faisait Laurent Berry dans cette affaire ? N'était-il pas le secrétaire particulier d'Alexis Cortès ? Il masqua sa surprise, et enchaîna :

– C'est là qu'a débuté le scandale des bons ?

– Oui, à Bayonne. On dit que Sacha gageait des bijoux sous-estimés et recevait des bons en échange, qu'il escomptait pour une valeur supérieure. Il y en avait pour quatorze millions de francs, à cette époque, puis c'est monté à dix-sept, et c'est remonté au ministère du Commerce, qui a tenté d'enterrer l'affaire. Enfin, les journaux ont fait éclater le scandale, et la justice s'en est mêlée...

– Vous ne vous doutiez de rien ?

– Non, non. Mais je suis sûre qu'on a voulu abattre mon mari pour des raisons politiques.

– Où est-il, maintenant ?

– Ah çà ! Il a disparu ! J'espérais que vous m'aideriez à le trouver ! C'est pour ça que je suis allée voir Daladier et le conseiller Prince !

Gino la regarda. Quelque chose sonnait faux. L'atmosphère charmante, le trouble qu'elle semblait experte à distiller, tout contribuait au brouillage des pistes. La scène à laquelle il avait assisté entre Arlette Stavisky et Prince était révélatrice : il ne faisait aucun doute qu'elle était sa maîtresse, ou qu'elle s'apprêtait à le devenir. Gino souleva sa flûte et demanda :

– Comment puis-je vous aider ?

– Mais, pardi ! En retrouvant Jeanne d'Arcy !

C'est à ce moment-là que Gino eut le regard attiré par un mouvement dans l'entrée. Il se détourna et, stupéfait, vit Barnabé devant lui, coiffé d'un panama tout neuf. Celui-ci lui fit signe et ressortit. Gino le vit s'installer dans une voiture et attendre.

Une demi-heure plus tard, ayant accompagné son invitée jusqu'à un taxi dont le chauffeur ouvrit la portière avec des gestes obséquieux – « comme à la cour de Russie » –, Gino regarda les feux arrière de la Renault s'éloigner. Sûr de son fait, il traversa le boulevard Saint-Germain, qui avait un air provincial – le quartier n'était guère à la mode, les rapins préférant la montagne Sainte-Geneviève et les bourgeois le boulevard de l'Opéra –, et s'engouffra dans la voiture de son supérieur. Barnabé le regarda et lança une pointe :

– Alors, mon petit Gino, on s'amuse pendant que le patron travaille ?

– Pas vraiment, patron. Mais c'est vrai qu'elle est belle...

– C'est qui ?

– Arlette Stavisky, la femme de...

– Eh bien dis donc ! Tu n'y vas pas de main morte ! Raconte-moi !

Il démarra. Tandis qu'ils roulaient vers Notre-Dame-de-Lorette, Gino demanda :

– Mais comment vous m'avez retrouvé ?

– Je suis policier, ne l'oublie pas !

– Sérieusement, patron ?

– C'est Jahandier qui m'a renseigné. Il nous attend au bureau. On va faire le point. L'affaire Cortès est en train de devenir une vraie saleté. Mais dis-moi, qu'est-ce qu'elle t'a dit, la belle Arlette ?

– Vous n'allez pas me croire.

– Essaie.

– Elle me dit que son mari a disparu...

– Ça, tout le monde le sait ! Le monde entier est à ses trousses.

– ... Qu'on cherche à le tuer...

– Ça ne m'étonnerait pas. Il y a des gens qui ont des raisons de lui en vouloir.

– ... et qu'on cherche à vous tuer aussi.

– Je suis au courant. Mais comment est-elle au courant, elle ?

– Par Prince, certainement.

– Ou par Stavisky lui-même ?

– Mmm... C'est une idée à creuser. Et...

– Je t'écoute.

– Elle a cité Laurent Berry. Apparemment, il a été de l'entourage de Stavisky...

– Tu m'en diras tant... Intéressant.

La voiture arrivait devant l'Opéra. La bâtisse resplendissait d'or et de lumières, un gala venait d'avoir lieu. Une affiche annonçait *Lucie de Lammermoor* et des spectateurs, en queues-de-pie et en robes fourreaux, s'apprêtaient à aller souper au Café de la Paix. Toute une procession, qui symbolisait le Tout-Paris, allait sabler le champagne. Gino expliqua. Arlette Stavisky, malgré son indifférence affichée pour les affaires de son mari, avait soigneusement enregistré certains détails. Maintenant que Stavisky fuyait la justice et qu'il se cachait, elle voulait assurer l'avenir : pas question, pour elle, de se retrouver dépourvue comme lors de la disparition de son premier mari argentin. Elle souhaitait mettre la main sur les réserves de son époux avant que les services financiers de Prince ne le fassent. Or, Stavisky avait toujours jalousement gardé secret l'emplacement de ses coffres. Il menait la grande vie, certes, au vu et au su de tout le monde, mais l'argent restait caché.

C'est en glanant des renseignements à droite et à gauche, auprès de Hayotte, auprès du chauffeur, auprès de Prince et d'autres, qu'Arlette Stavisky était tombée sur une étrange confidence : l'un de ses informateurs, en contact avec la pègre, avait parlé d'un contrat sur la tête d'un policier. Au début, Arlette n'avait pas prêté attention à cette indication. Puis, au fil de ses investigations, elle avait commencé à s'intéresser à l'histoire. Car l'intermédiaire, pour ce meurtre planifié, était Jeanne Durand. Plus connue sous son nom d'actrice, Jeanne d'Arcy.

Or, Arlette Stavisky en avait la conviction : Jeanne d'Arcy savait où était Sacha. Elle avait beau avoir un nouvel amant, un nommé Louis Bert, bien plus jeune qu'elle, pour lequel elle faisait des folies, elle était restée en contact avec Stavisky. Arlette en était sûre. Elle avait conclu : « Aidez-moi, et je vous aiderai... » Puis elle était partie avec un regard lourd de promesses...

Barnabé gara la voiture dans la cour de l'immeuble. Une lumière brillait encore : Jahandier, solide au poste, les attendait pour faire le point.

Il gravit les marches quatre à quatre. Barnabé sentait une certaine amertume lui monter à la bouche : toute cette affaire était sordide. D'un côté, un assassin qui mutilait les cadavres, qui les éviscérait. De l'autre, deux femmes qui cherchaient à mettre la main sur le magot d'un escroc notoire. Obscurément, il devinait que quelque chose liait les deux affaires, qu'il y avait un point de tangence. Il fallait le trouver.

Jahandier, assis devant une cafetière, lisait le journal. Le visage carré, le front barré par deux longues rides verticales, la moustache blanchie, Lucien Jahandier avait été boxeur avant de devenir policier, et son nez brisé attestait son ancienne profession. Peu à l'aise dans les abstractions intellectuelles, il n'avait pas son égal pour les filatures, à pied ou à bicyclette et, ayant l'aspect d'un livreur ou d'un coursier, il se faufilait partout, ne se faisant remarquer nulle part. Avec ça, rusé comme un renard et droit comme un if. Une pointe d'accent lui restait : il était originaire de Sète.

— Bé, patron, vous avez récupéré le petit poisson !

Gino repoussa son chapeau sur la nuque, posa sa canne et s'exclama :

— Qui c'est, le petit poisson, c'est moi ?

— Ben tiens !

— Méfie-toi ! Les piranhas sont petits mais féroces !

Un sourire les réunit. Barnabé tira une chaise, écarta les piles de journaux, les dossiers, les formulaires. Il jeta un coup d'œil sur l'horloge murale : il était minuit.

— Messieurs, déclara-t-il, au travail !

– CHAPITRE 10 –

Le matin, brumeux et chaud, se levait sur Paris. De leur étage, les trois hommes voyaient la forêt des toits, tuiles, ardoises, zinc, où des fumées paresseuses s'étiraient dans un air déjà tiède. On entendait le choc des roues ferrées des voitures à bras descendant la rue, et les réverbères, peu à peu, s'éteignaient. Quelques chevaux se faufilaient avec leur chargement entre les voitures noires et les autobus bondés où les employés de bureau se donnaient une contenance, leurs manchettes de lustrine dans la poche et le melon crânement posé sur des cheveux soigneusement gominés. Les femmes avaient le teint frais, les hommes, la moustache avantageuse. Les premiers crieurs de journaux couraient vers la Bourse, où ils vendaient *Paris-Journal*, *Le Coq gaulois* ou *Le Temps* en annonçant les gros titres. L'Allemagne se réveillait, les Sudètes grondaient, les coupons russes seraient peut-être remboursés, une femme avait démembré son mari, les avoirs de la Roubaisienne étaient saisis et, dans ce chaos matinal, Barnabé retrouvait les odeurs de pain frais, de café, de crottin, de tabac froid et de brume industrielle : c'était le parfum de Paris, lourd et âcre, mais incitant à la nostalgie et au souvenir. Dans la rue, il pensa brièvement au temps jadis : Eleanora, où es-tu ? Une ombre de tristesse passa sur lui, et c'était comme si la dévastation de la Grande Guerre lui saisissait le cœur. Il entra dans un café avec Jahandier et Gino. Ils commandèrent des petits verres de calvados. Barnabé, morose, dit à ses hommes :

– Jahandier, tu t'occupes de rester en contact avec Frassetto. Vois ce qu'ils nous dégotent, là-bas. Et va voir les gars chargés de l'affaire Stavisky, à la judiciaire. Renseigne-toi mais n'attire pas l'attention. Tu files au Quai des Orfèvres, et tu ouvres tes oreilles, d'accord ? C'est l'inspecteur Bonny qui est chargé de l'affaire. Mais sois prudent : on dit qu'il est...

– Véreux ?

– Exactement. Donc...

Jahandier mit sa casquette, s'étira et rentra sa chemise dans son pantalon. Puis il sortit, sauta sur sa bicyclette et disparut. Barnabé regarda Gino.

– Nous, on y va.

– Où ça, patron ?

– Voir le seul personnage qui revient tout le temps dans cette histoire, mais que nous n'avons pas encore rencontré.

– Ah, je vois. L'assistant de Cortès.

– Exactement. Laurent Berry. C'est quoi, ce gars-là, au juste ?

Se faufilant dans le désordre des rues parisiennes, Gino et Barnabé se dirigèrent d'abord vers leurs domiciles respectifs, afin de se changer. Ils avaient travaillé toute la nuit. Parvenu chez lui, Gino monta, tandis que Barnabé allait acheter les journaux. Rasé de frais, Gino redescendit avec un superbe complet en shantung, léger et discrètement chatoyant. Sa cravate s'ornait d'une perle noire. Puis Barnabé, à son tour, fit un crochet par son appartement, qu'il trouva en désordre. Marinette était absente, il en fut soulagé. Sans doute était-elle déjà au travail. Il se débarbouilla, enfila une chemise propre... Il eut une pensée furtive pour Alice, restée à Chamonix. Puis il rejoignit Gino, prit le volant, et se dirigea vers l'avenue Mozart. Les terrains, bâtis depuis peu, alignaient des immeubles opulents, les appartements y étaient cirés, dépoussiérés, soignés. Le brouhaha du petit peuple n'était plus qu'une rumeur lointaine.

Barnabé gara la voiture devant un hôtel particulier à colonnes torses, un peu affecté, un peu nouveau riche. Ils sonnèrent : un factotum, l'air digne et légèrement efféminé, les introduisit avec des manières de dame de cour. Ils s'installèrent dans une bibliothèque qui sentait le cuir et le cigare. Des canapés chippendale faisaient un angle droit devant la cheminée, des tables basses offraient aux regards des boîtes en bois précieux, des boules en onyx, des éventails anciens, des vases chantournés. Il y avait là tout un assortiment d'objets raffinés, destiné à montrer le bon goût du maître de maison. Un volume des *Historiettes* de Tallemant des Réaux était ouvert sur le bureau en acajou. Barnabé y jeta un coup d'œil : l'auteur y décrivait, dans un langage vert, les milieux influents sous le règne de Louis XIII et de Louis XIV. C'était de la littérature de ragotier.

La porte s'ouvrit. Un jeune homme, grand, d'un blond légèrement roux, vêtu de noir, s'avança. Il se dégageait de lui une impression de froideur, mais aussi de force. Les yeux, d'un bleu intense, flamboyaient. Il semblait animé par une sorte d'incendie intérieur, communicatif. Il y avait chez lui de la fierté et de la dissimulation, un étrange mélange qui le mettait tout de suite à part. Barnabé eut un choc : quelque chose, dans ce visage, lui était familier. Il reconnaissait là des impressions, des traits, qu'il avait déjà vus. À qui Laurent Berry pouvait-il ressembler ? Celui-ci prit la parole :

— Quel malheur, messieurs, quel malheur !

— En effet. Nous vous présentons toutes nos excuses pour cette intrusion inopportune, mais hélas, nous devons avancer.

— Je comprends très bien. Asseyez-vous.

Ils prirent place sur le bord de l'un des canapés, le chapeau entre les mains, mal à l'aise. En s'asseyant, Gino sentit qu'il touchait quelque chose, un livre peut-être, coincé entre deux coussins. Laurent Berry demanda :

— En quoi puis-je vous être utile ?

— Eh bien, monsieur Cortès avait-il des ennemis, par exemple ?

— Évidemment ! Que voulez-vous, dans ce métier, les gens sont impitoyables. Ils se détestent.

— Au point de tuer ?

— Mais, commissaire, un acteur tuerait père et mère pour un beau rôle ! Il assassinerait sa sœur et son frère pour une réplique. Et il massacrerait tout Paris pour une tête d'affiche.

— J'ai cru comprendre que vous le connaissiez bien... très bien.

– C'est certain... Je m'occupais de ses contrats, de ses voyages, de ses affaires, de ses finances, de ses scénarios, de tout. Je suis... J'étais son confident, son secrétaire si vous voulez.

– Saviez-vous qu'il était marié ?

– Non. Je l'ai appris quand votre confrère, le commissaire Fazeta de Briançon...

– Frassetto.

– ... C'est cela... m'a téléphoné. Je dois dire...

Une grimace tordit son visage. Barnabé se sentait de plus en plus mal. Il avait envie de partir, vite et loin. Il se força à rester. Et à écouter.

– ... Je dois dire... Que j'ai été abasourdi. Cet homme, mon employeur, mon proche, dont je croyais tout savoir, m'avait dissimulé une chose aussi importante ! J'ai eu l'impression, oui, d'avoir été...

– Trompé ?

– C'est ça. Trompé. Comment réagiriez-vous, en apprenant...

– Je ne sais pas. Je n'ai jamais été le secrétaire de quelqu'un.

– Toujours est-il que j'en ai été peiné.

Tout en écoutant Laurent Berry, Barnabé regardait la pièce, restait aux aguets. Il n'aimait pas ce jeune homme, cette façon apprêtée de se tenir, cette raideur un peu fausse. Il y avait, dans la collection de colifichets qui ornaient les meubles et les étagères, des photos de Cortès. En costume, en maillot de bain, au restaurant... Barnabé nota que, sur aucun cliché, il n'apparaissait en compagnie de quelqu'un : c'était comme si Cortès n'avait choisi que les photos où il était en vedette solitaire. Près de lui, sur un guéridon, l'acteur souriait en costume andalou. Sans doute un film... Barnabé nota une légère ligne de poussière – très légère, l'endroit était bien tenu – qui indiquait qu'un petit cadre avait été déplacé ou enlevé. Il reprit :

– Puis-je vous demander des renseignements personnels ?

– Bien sûr, commissaire. Je n'ai rien à cacher.

– D'où êtes-vous originaire ?

– Je ne sais pas.

– Comment ça ?

– J'ai été adopté. Mes parents, je ne les ai pas connus.

– Ah. La guerre ?

– Non. Sans doute la lâcheté.

– Comment avez-vous connu Alexandre Cortès ?

Gino, dans son petit canapé, notait, faisant courir son stylo en argent sur un bloc-notes relié en chevreau. Il était l'image même de l'indifférence professionnelle, son chapeau crème posé sur l'accoudoir. Barnabé répéta :

– Comment avez-vous connu Alexandre Cortès ?

– À Berlin. Je cherchais du travail dans le milieu du spectacle. J'y étais depuis sept mois, en 1929. J'habitais un petit appartement avec un ami et, très vite, avec M. Cortès, j'ai senti que nous allions nous entendre. Il m'a engagé comme secrétaire particulier, et voilà.

– Comment vous êtes-vous rencontrés ?

– Par l'intermédiaire d'un élu, M. Garat. Lors d'un dîner élégant...

– Alexandre Stavisky était présent ?

– Oui. Il a été question, un instant, que nous fassions affaire, mais...

– Rien ne s'est fait ?

– Non.

– Et votre collaboration avec Alexis Cortès ? Aisée ?

– Eh bien, comme tous les acteurs, M. Cortès avait parfois tendance à être possessif, mais nous avions trouvé une bonne façon de fonctionner.

– C'est-à-dire ?

– Quand il devenait envahissant, je disparaissais. Quelques jours seul, et il devenait infirme. Il ne savait pas réserver un passage sur un bateau, remplir un formulaire, s'occuper des paperasses, bref, des choses triviales. Il les considérait comme des bêtises.

– Des bêtises ?

– Oui. Je m'occupais des bêtises.

Gino s'agita. Il glissa discrètement la main dans son dos et souleva l'objet qui le gênait. Ça avait la taille d'un petit livre, et plat. Il recommença à noter. Barnabé passait à la phase délicate :

– Avez-vous une idée de qui...

Laurent Berry, troublé, prit sa pochette, la déplia, et, ému, se tamponna les yeux. Une légère trace de noir se déposa sur le mouchoir blanc. Le jeune homme se maquillait donc... Après quelques minutes de tristesse affichée, il répondit enfin :

– Non, vraiment, je ne vois pas. Un meurtre aussi horrible...

– Où étiez-vous, ces derniers jours ?

– En Allemagne aux studios de Babelsberg. Pour un contrat. Je descends au Tempelhof Hotel, ils vous confirmeront. Commissaire, je vous en prie, trouvez... celui qui a fait ça !

Un sanglot étouffé se fit entendre. La main crispée sur le mouchoir, Laurent Berry était l'image

147

même du désespoir. Les yeux humides, la bouche serrée, il n'arrivait plus à parler.

Barnabé, lui, n'arrivait pas à croire à la sincérité de son interlocuteur. Pourquoi ?

Frassetto conduisait la voiture. Il refaisait le même trajet que Barnabé, en direction de Chamonix. Accompagné de Bon, il voulait en avoir le cœur net. Après avoir autorisé l'inhumation de Mireille Laborde et avoir examiné le cadavre d'Alexis Cortès que le gendarme Beliveau avait fait emmener à Briançon, Frassetto avait longuement réfléchi. Puis, après avoir soupesé les divers éléments de l'affaire, il avait sauté dans une voiture et, en compagnie de Bon, s'apprêtait à prendre la température sur place, sur les lieux mêmes du crime.

Le mois de juin s'achevait. Le soleil se voilait. Des nuages filandreux, indiquant un changement de temps, donnaient une lueur laiteuse dans les vallées. Peu à peu, des nuées d'orage se formaient. Bon, la mâchoire crispée, le cheveu en bataille, remarqua :

– Ça se couvre, commissaire. On va avoir de la pluie.

– Non. De la neige, Bon, de la neige. Il faut accélérer.

Les tempêtes de neige étaient rares en été, même en montagne, mais cela pouvait arriver brutalement. Un vent frais commençait à souffler. Les paysans se hâtaient de rentrer ; certains avaient déjà un coin de sac de jute sur la tête, à la façon des charbonniers.

Ils arrivèrent à Chamonix juste comme la neige commençait à tomber, latéralement, en bourrasques violentes.

Les gendarmes avaient fait du bon travail : ils avaient interrogé les voisins, avaient aussi tenté de retrouver dans les journaux d'autres affaires du même type, et même les cas de vols simples avaient été vérifiés. Mais rien ne se dessinait. Frassetto écouta le rapport de Beliveau, et hocha la tête. Puis il demanda le chemin du chalet de Cortès. Beliveau se proposa pour conduire la voiture.

Déjà, on ne voyait plus la montagne. Une grisaille terne avait envahi Chamonix. Le mont Blanc avait disparu derrière une épaisse muraille de flocons, et c'est à peine si l'on devinait encore les méandres de la route. La distance était courte, mais ils mirent une vingtaine de minutes pour arriver jusqu'au chalet. Frassetto en profita pour recueillir des renseignements. Il demanda à Beliveau :

– Vous avez des soupçons ?

– Pour moi, commissaire, c'est un rôdeur qui a fait le coup.

– Deux meurtres, avec une telle mise en scène ?

– Un fou, commissaire, un fou. Je ne vois que ça.

– C'est possible. Mais un fou méthodique. Garder un fœtus pour...

– À Grenoble, il y a un asile de fous... On nous a signalé une évasion. Qui sait ? C'est peut-être notre homme ?

– On verra. Pas d'autres pistes ?

– Pour l'instant, non.

Frassetto se renfonça dans son siège. Il n'aimait

guère ce temps : quand il s'était battu avec l'armée d'Orient, en Grèce, il avait eu affaire à des tempêtes. Il ne lui restait que des souvenirs de boue, de froid, de mouillé, de misère humaine. Il releva le col de sa veste, reboutonna son gilet jaune – une coquetterie que sa femme lui imposait, prétendant qu'elle lui donnait « un genre » – et se concentra sur ses chaussures. Passé la quarantaine, il se sentait vieillir avec une sorte de plaisir : sa nature joyeuse, parfois, laissait la place à des poussées de mélancolie. Il passa la main sur son front dégarni, et demanda :

– C'est ça ?

On distinguait, dans la purée, une maison classique, protégée par un muret. Le chalet des Asphodèles, qu'Alexis Cortès avait fait construire sur les fondations d'une bergerie, était une belle bâtisse à un étage, qui surplombait la vallée. De là, on pouvait filer, en ligne droite, vers la Suisse voisine.

La neige s'était amassée sur le muret. Les policiers firent le tour de la maison, laissant leurs empreintes sur le sol. Bon jurait : ses souliers prenaient l'eau. La neige tombait dru, s'entassait contre les sapins, s'amassait sur les marches. Beliveau sortit un trousseau de clés, fit sauter les scellés rouges et ouvrit la porte. Les volets de la maison étaient clos, et l'obscurité les saisit. Beliveau alluma une lampe à pétrole, la donna à Frassetto, puis en alluma une seconde.

– Normalement, il y a l'électricité. Mais elle a été coupée. C'était le seul particulier qui l'avait, chez nous. Pour l'instant, à part ce chalet, il n'y a que la mairie, la gendarmerie et l'hôtel qui sont alimentés. L'administration, vous savez...

Ils entrèrent dans la grande maison vide. Dehors, le vent se déchaînait. En silence, ils découvrirent un lieu confortable : Cortès, visiblement, aimait ses aises. Dans l'entrée, des skis en hickory et des bâtons de bambou formaient une sorte de jungle, barrée de gros souliers de marche. Venait ensuite la cuisine, où une petite pile de bûches soigneusement empilées attendait le feu. Dans le salon, quelques fauteuils profonds et une banquette noyée de coussins indiquaient que le maître de maison préférait les plaisirs du foyer à ceux du sport. Bon, de la cuisine, héla Frassetto :

— Commissaire, il y a là un couteau.

Les hommes revinrent vers la cuisine. Dans la lueur tremblotante, ils virent une lame, dont l'emmanchure était sale.

— On dirait du sang séché, dit Bon.

Frassetto approcha la lampe. En effet, des écailles de matière sèche tombaient, dès qu'on les grattait avec l'ongle. Le commissaire demanda :

— Savoir si c'est du sang humain ?

— Il faudrait faire des analyses, dit Beliveau. On n'en a pas les moyens.

— Le temps qu'on envoie ça à Paris et que les résultats reviennent, l'affaire sera résolue, je l'espère, constata Frassetto.

Il était agacé. Par la mollesse des gendarmes qui, pourtant, avaient fait leur travail. Par la météo, qui n'était guère clémente. Par la haine du coupable, qui l'emplissait. Seul plaisir de cette enquête : il avait retrouvé Barnabé, qu'il appréciait. Il faudrait qu'il l'invite à dîner chez lui. Il lui présenterait sa femme et ses enfants...

Ils montèrent à l'étage, où une grande chambre à

151

coucher, suivie de deux chambres d'amis, offrait un certain luxe. Il y avait même une baignoire... Par la fenêtre, à travers les jalousies, on ne voyait plus rien. Une nuit plombée semblait être tombée, en plein milieu de l'après-midi. Les trois hommes, un peu mal à l'aise dans la demeure d'un défunt, s'interrogeaient. Y avait-il seulement un indice inté-ressant ? Ils ne demandaient pas grand-chose, un peu de chance, peut-être. Il suffirait d'un coup de pouce du destin, et ils mettraient la main sur le monstre. C'était une question de temps : fou ou rôdeur, assassin méticuleux ou meurtrier occa-sionnel, il commettrait peut-être d'autres méfaits. Il fallait l'arrêter.

– On redescend ? demanda Beliveau.

Ils revinrent dans le salon. Là, ils se mirent à exa-miner les quelques bibelots, les murs, les portes. La tâche était difficile, dans cette obscurité. Le vent, dehors, sifflait maintenant de façon continue. Der-rière les volets, la maison semblait assaillie par les forces de l'enfer.

Beliveau enleva son képi et prit place dans un fau-teuil.

– Autant attendre la fin de la tempête, dit-il. Ça ne saurait tarder. En été, c'est toujours bref.

Bon, qui avait la ténacité d'un chien truffier, observait les cloisons, ne restant pas en place. Dans la cuisine, il remarqua, derrière les bûches, une ligne qui se dessinait sur le mur. Il y avait une porte, là, presque invisible. Sans doute une ancienne cave, dont le maître de maison ignorait peut-être l'exis-tence. L'ancienne bergerie avait sûrement été construite par des montagnards attachés à leurs secrets.

— Commissaire, venez !

Frassetto, suivi de Beliveau, accourut. Les trois hommes déplacèrent les bûches et tentèrent d'ouvrir la porte. À première vue, il n'y avait pas de serrure. La jonction entre la porte et le mur était parfaite. Bon sortit un canif et, le glissant dans l'interstice, remonta de bas en haut. Il sentit, sous la pression, qu'un crochet sautait. Il poussa la porte. Immédiatement, une odeur de moisi assaillit les visiteurs. Ils entrèrent. Au bout d'un couloir empierré, ils découvrirent une salle voûtée, où des boîtes de conserve vides et une bouteille de vodka semblaient abandonnées depuis toujours.

— Où sommes-nous ? demanda Frassetto.

Personne ne répondit. Ils regardèrent alentour. Curieusement, cette sorte de cellier avait été aménagé : quelques chaises, une table et, au mur, un portrait grandeur nature, en pied, d'une femme. Celle-ci posait devant une cheminée et, dans une robe verte, semblait l'incarnation de la sévérité. Figés dans une même interrogation, les policiers examinaient le tableau. Que faisait-il ici ?

— Regardez, dit Frassetto. Ce nez... On dirait qu'elle ressemble à Cortès.

— C'est peut-être sa mère, dit Bon.

Il n'y avait rien d'autre. Ils rebroussèrent chemin. Juste au moment où ils parvenaient dans la cuisine, un bruit de pas se fit entendre. Frassetto bondit, la lampe à la main. Il y avait quelqu'un, là... Il se précipita vers l'entrée, distinguant vaguement la silhouette d'un homme jeune, au profil d'aigle. Beliveau, soufflant derrière lui, arrivait. Déjà, l'homme avait ouvert la porte d'entrée et se précipitait dans la tempête. Les policiers sortirent, mais le vent,

153

d'une extrême violence, les gifla. Les traces de pas, dans la neige, furent instantanément balayées. Ils essayèrent de se disperser en arc de cercle, mais ils ne distinguaient rien. C'était peine perdue. Dans le maelström de la tempête, tout était noir.

En sortant de l'hôtel particulier de l'avenue Mozart, Barnabé resta pensif. Il tenait son panama à la main, embarrassé. Il y avait quelque chose dans ce visage... Pourquoi lui était-il familier ? Une ancienne affaire ? Une rencontre de hasard ? Il n'aurait su dire. Des infirmières à coiffes blanches, leurs tabliers frappés de la croix rouge, le dévisagèrent : il avait l'air d'un homme égaré. Gino, un peu plus loin, replia son bloc-notes, pressa le fermoir et le glissa dans la poche intérieure de sa veste de façon qu'elle n'ait pas l'air déformée. Il reprit sa canne avec entrain, et s'avança vers Barnabé.

– Chef, qu'en pensez-vous ?

– Attends, attends, Gino. Je cherche quelque chose, mais...

– *Santa madonna !* C'est vous le *capo* ! Mais...

– Il ne m'inspire pas confiance, ce garçon.

– Vous avez raison, commissaire.

– Comment le sais-tu ?

Ils montèrent dans la voiture. Gino démarra à la manivelle, et, dans la pétarade du moteur, ils prirent la direction de l'Opéra. L'avenue Mozart était encombrée de valets en livrée qui faisaient les courses de leurs maîtres, de soubrettes tirées à quatre épingles qui s'affairaient, et de bourgeoises dont le seul souci, dans la vie, était le pli qu'elles avaient raté en jouant au rami. L'ambiance du quartier déplaisait à Barnabé. Il avait envie de boire.

Quand ils passèrent le Trocadéro, Barnabé redemanda :

– Comment tu sais que j'ai raison, l'Italien ?

– Je sais, c'est tout, dit Gino avec un mince sourire ironique.

– Vas-y.

Tout en tenant le grand volant de la main gauche, Gino sortit de sa poche un cadre argenté, grand comme un petit missel.

– Regardez ce que j'ai trouvé, entre les coussins du canapé.

Il tendit l'objet à Barnabé. C'était une photo, relativement récente. Malgré le noir et blanc de piètre qualité, on distinguait la scène. Dans une guinguette de campagne, Alexis Cortès souriait, un verre à la main, attablé devant une bouteille de vin blanc. Ses deux compagnons étaient Laurent Berry et Mireille Laborde. Celle-ci était en costume de mariée.

Barnabé constata avec placidité :

– Il nous a menti, le petit Laurent. Il savait que Mireille avait épousé Cortès...

– On ne peut se fier à personne, patron.

– À qui le dis-tu !

En arrivant au bureau, ils furent accueillis par Jahandier, qui leur annonça la nouvelle. De Chamonix, Alice avait envoyé un télégramme. L'assassin de Cortès venait d'être arrêté.

– CHAPITRE 11 –

La Loustiquette en avait assez. Le temps, en ce début de juillet, virait à l'aigre. C'était toujours comme ça : on pensait que ça allait s'arranger, et puis non, ça ne s'arrangeait pas. Arpentant son bout de trottoir devant le Cadet-Roussel, elle jetait un coup d'œil vers le boulevard Edgar-Quinet, en bas, et vers la rue du Château, en haut. Les préparatifs de la fête nationale avaient commencé. On entendait la fanfare de la Tombe-Issoire qui répétait, et dont chaque valse musette était fausse : le chef était, dans le civil, vernisseur au tampon et, mon Dieu, il avait l'oreille peu musicale... Un mât de cocagne était dressé dans le petit square, des lampions commençaient à être installés aux fenêtres. Des bonnes, pressées, emmenaient des paniers de linge vers le lavoir de la Vierge, et des apaches, reconnaissables à leurs casquettes inclinées sur l'oreille, faisaient semblant de se hâter vers les fortifs où « la bande de Montparnasse » réglait ses comptes. Parfois, dans un terrain vague, on retrouvait au matin un gars avec un couteau dans le dos.

Depuis qu'elle avait débarqué de son Pays basque natal, Marie Robinet, dite la Loustiquette, n'avait connu que le pain dur. Le pain blanc, lui avait dit sa mère, venait au ciel. Elle y croyait de moins en moins, et tapinait depuis six ans, envoyant régulièrement des mandats-cartes à la nounou qui s'occupait du petit Jules, le fils qu'elle avait eu d'un marin de passage dont elle était tombée amoureuse. Celui-ci, avant de repartir pour le bout du monde, l'avait vendue à Pierrot-belle-chemise, qui raffolait des boutons de manchettes et qui tenait ses filles d'une main de fer. D'habitude, la Loustiquette, bonne fille, était pleine d'entrain. Mais aujourd'hui, allez savoir, elle traînait la savate. Un Auvergnat, fraîchement débarqué – il avait encore son chapeau à bord retroussé et ses sabots –, l'aborda :

– Alors, on y va ?

Elle monta avec lui. La rue de la Gaîté était, en fait, une rue de filles de joie. Bien sûr, il y avait aussi quelques garçons de joie, mais ils traînaient plutôt du côté de la rue Delambre et accrochaient le client près d'une boîte de nuit, Le Jockey. « T'es du Jockey ! » était, entre hommes, une insulte. Les yeux fixés au plafond, la robe retroussée, la Loustiquette laissa le provincial payer ses deux francs, puis faire son affaire. Il sentait le grand vent et la paille. Ce soir, elle irait aux Îles Marquises, où les artistes de Bobino et de la Gaîté-Montparnasse venaient boire un verre après le spectacle. L'Auvergnat, remettant sa culotte et défroissant son bourgeron, demanda :

– Tu t'appelles comment ?

– La Loustiquette.

– Tu me plais bien, la femme.

Elle partit la première. C'était la règle : les clients ne sortaient qu'après. Si l'ordre s'inversait, et que le « clille » était le premier à mettre le pied dans la rue, la signification était claire : il avait battu la fille pour ne pas la payer. Les maquereaux, dehors, lui tombaient immédiatement dessus, une lame à la main.

La Loustiquette alla se replacer devant le Cadet. Roussel la salua en passant d'un geste désinvolte. Elle l'aimait bien. Il était réglo. Il faudrait qu'elle aille tout à l'heure à la ferme de la rue Saint-Jacques, une curieuse maison où les poules couraient en liberté et où les vaches, dans le petit jardin, broutaient ce qu'on leur donnait. Gégé, le patron, payait ses passes en marchandises : ce soir, la Loustiquette aurait droit à des œufs frais.

De l'autre côté de la rue, elle voyait Pierrot, assis à la terrasse d'un café, fumant un petit cigare et dégustant une anisette. Il gardait l'œil sur son investissement, le gars. Plus haut, les lascars de Hayotte patrouillaient du côté de la librairie Miroton. « Des livres de joie », pensa-t-elle, et un sourire effleura ses lèvres.

Frassetto était assis devant le coupable. Celui-ci était un homme aux yeux égarés, les cheveux en bataille, les vêtements sales et déchirés. Il baissait la tête. Les grosses menottes en fer qui l'entravaient semblaient à peine le gêner. Il était là, abattu, comme un animal de trait après l'effort, les narines dilatées, le souffle court. Il avait peur. Il rugit :

– Ben oui, j'l'ai tué, l'autre ! Puis équarri ! L'salaud !

Frassetto relisait les aveux du coupable, relevés et consignés par Beliveau, qui avait remarqué : « Je l'avais bien dit ! Un étranger ! » L'étranger venait de Grenoble. Pour les gens de Chamonix, la ville, c'était un autre pays. Sans doute y avait-il une frontière. Les paysans d'ici allaient une fois dans leur vie dans une grande cité, à l'occasion d'un mariage, d'un enterrement ou des comices agricoles, et revenaient, satisfaits d'avoir aperçu le monde extérieur, qui ne leur plaisait guère. Si bien que la nouvelle d'un assassin échappé de l'asile de Grenoble, où le bon docteur Clerc tentait de conserver un semblant d'ordre, ne leur paraissait pas anormale.

Le fermier Chaignier, dont la ferme jouxtait le chalet de Cortès, était présent. Le criminel était son cousin.

– L'a jamais eu la tête solide, Marcel. Dans le temps, il a volé des agneaux.

Le crime était grave. Voler des agneaux ? On en parlait encore dix ans plus tard. Ici, les gens laissaient leur porte ouverte en été, et non verrouillée en hiver. Des chiens noirs montaient la garde et assuraient le rassemblement des troupeaux : les chemineaux n'étaient pas rares, mais ils passaient, on leur donnait un quignon de pain, et on les oubliait. Ils prenaient le chemin de l'Italie où, jadis, les marchands ambulants circulaient, pour vendre du fil, des boutons et des almanachs.

Chaignier était embêté : avoir un criminel dans la famille suffisait à déconsidérer tout le monde. Il voulait s'en défaire.

– Faut l'enfermer. L'est pas bon.

Marcel, lui, se frottait la tête contre le mur. Des

gestes brusques l'agitaient, des contorsions, des tics. Pas à dire : il ressemblait à un assassin.

On l'avait découvert alors qu'il se faufilait dans la maison de Cortès. Apparemment, il passait certaines nuits dans le réduit derrière la maison, là où les policiers avaient trouvé des boîtes de conserve et le tableau de la femme en vert. Les restes de l'ancienne bergerie étaient connus de la famille Chaignier. Mais personne n'y pensait ; depuis que Marcel, le fou, avait été interné là-bas, avec les autres déments, la vie semblait devoir suivre un cours tranquille.

Frassetto demanda :

– On l'a trouvé comment ?

Chaignier, dansant d'un pied sur l'autre, la casquette entre les mains, la grosse moustache mouillée, expliqua :

– Ben, j'ai bien vu que les bêtes étaient point tranquilles. J'ai demandé à mon gars Justin de prendre un bâton, et de voir ce qui se passait. On est entrés dans l'étable de deux côtés, et v'là un gars qui s'enfuyait. On l'a suivi, mais y a pas ! Il avait pas trente-six solutions. En allant vers le nord, y retombait forcément sur la clairière à Moreau. On a coupé, et on l'a eu.

– Il a avoué tout de suite ?

– Tiens donc ! Il avait le couteau de cuisine de M. Cortès en main ! Et des fourchettes en argent ! Ça cliquetait dans la poche. On l'a un peu battu pour lui faire entendre raison, et quand on l'a amené ici, il a tout avoué. C'est lui.

– Il est fou ou alcoolique ?

– Les deux. Quand il vivait avec nous, du temps de sa mère, on disait : « Blanc le matin, rouge à

161

midi, noir le soir. » C'était tout lui. Puis il est parti, il a volé et on l'a enfermé.

Toute une vie résumée en deux phrases... Frassetto réfléchissait, les pouces passés dans l'emmanchure de son gilet jaune d'or. Il se tourna vers Beliveau :

– Mais pourquoi il a fait ça ? Éventrer les victimes ?

– Passque j'aime pas le ventre ! cria le fou. Le ventre ! Le ventre !

Béliveau eut un geste las :

– Vous voyez bien, commissaire. Il est à enfermer, hein !

Frassetto devait en convenir. Mais il préférait attendre Barnabé, pour en avoir le cœur net. L'affaire semblait résolue.

Tandis qu'on emmenait Marcel Chaignier vers l'unique cellule, Frassetto demanda à l'adjudant :

– Bon, c'est pas tout, ça. Où peut-on dîner tranquillement ici ?

– Aux Grands Pins, c'est le meilleur hôtel de l'endroit, commissaire.

– Il faut fêter ça, n'est-ce pas ?

Beliveau et son adjoint Riquet, ainsi que Bon et le fermier, tous hochèrent la tête avec gravité : Chamonix allait retrouver la tranquillité. On entendit, de loin, un dernier cri :

– Le ventre !

C'était l'assassin, qui sombrait dans une folie de plus en plus épaisse.

La Loustiquette dévisagea l'homme : avec son gros nez rouge et ses joues couleur de pomme mûre, il avait tout du provincial en goguette. Elle connaissait bien ce type de client. Ils se ressemblaient tous. Grassouillets, couperosés, bons vivants, et vite satisfaits. Un foulard à carreaux protégeait son cou et, avec son panier en rotin, il semblait revenir du marché. Une bonne excuse, le marché, pour prendre du bon temps... Pierrot-belle-chemise, maintenant, se limait les ongles. Quelques chevaux passèrent, serrés en troupe, se dirigeant vers le métro Gaîté. Là, un loueur de chevaux mettait à disposition des voitures et des charrettes. Un forgeron travaillait dans un déluge d'étincelles. C'est là que les gars de Hayotte se faisaient fabriquer des burins, pour dévaliser les maisons des riches.

Le client demanda :

– T'es libre ?

Elle avait mal aux pieds. Oui, elle était libre. Elle donna son prix et se dirigea, lentement, vers le petit hôtel, Le Phare d'Odessa. Il n'y avait personne à la réception, qui sentait l'humidité et le chou. Ils montèrent au deuxième étage, et la Loustiquette ouvrit la chambre 23, comme d'habitude. Comme d'habitude, un drap seul habillait le lit. Dans un coin, une serviette rêche, pliée en quatre, pendait sur l'évier. Elle s'assit, commença par enlever ses chaussures, ses demi-bas et retroussa sa robe.

– Non, pas comme ça. Toute nue.

Elle leva la tête :

– C'est plus cher.

– Combien ?

– Le double.

– D'accord. Fais donc.

Elle prit l'argent, le déposa sur la table de nuit. D'un geste, elle fit passer la robe au-dessus de sa tête. Puis elle retira la longue épingle à cheveux qui tenait sa coiffure, et la planta dans la liasse de francs. L'homme, pendant ce temps, s'était approché de l'évier : il connaissait les usages. Débraguetté, il attendait que la Loustiquette le lave. Elle s'approcha et, les mains bien savonnées, fit ce qu'on lui demandait. Laver offrait deux avantages : les maladies vénériennes, disait-on, étaient écartées ; et surtout, le client était excité et, déjà prêt, durait moins longtemps. Certains éjaculaient même dans l'évier, ce qui était parfait.

Les mains mouillées, elle s'essuya avec la serviette et retourna se coucher ; la chemise enlevée, la brassière déposée, elle apparut nue. C'était, au fond, un corps de fille de ferme : elle était blanche, avec une peau semée de taches de son, et des membres solides. Elle était faite pour la sueur et les champs, et elle travaillait dans l'ombre et les draps. D'un œil vague, elle vit que l'homme tournait le dos, et se déshabillait aussi. Elle en avait tant vu... Elle demanda :

– Tu veux faire quoi ?

– En levrette.

Elle se souleva, et se mit à quatre pattes. L'homme ne voyait plus que le dos de la Loustiquette, sa nuque fatiguée et ses fesses pleines. Il s'approcha. Du coin de l'œil, elle vit qu'il retirait quelque chose de son panier en rotin. Elle pencha la tête pour regarder par-dessous son aisselle : ce qu'elle découvrit la sidéra. Le paysan un peu gros s'était mué en jeune homme mince. Le nez rouge avait disparu, et, sur le nouveau visage, un large sourire s'affichait. Elle se laissa tomber sur le côté, avec une impression d'intense surprise. Au moment où elle allait demander « Mais pourquoi... ? » elle sentit une lame effilée lui passer sur la gorge. Les mots se noyèrent dans un bouillon de sang. Marie Robinet mit quelques secondes à mourir, les yeux écarquillés par l'incompréhension.

L'homme, lui, se mit au travail. En s'en allant, il garda son déguisement dans le panier, qu'il jeta dans une poubelle, en bas. Il repassa devant la réception, où il n'y avait toujours personne. Dans la rue, les maquereaux le laissèrent passer. Ils attendaient un paysan avec un gros nez rouge. L'homme disparut vers Le Jockey et prit le métro.

Plus tard, on découvrit une carte avec un dessin sur le cadavre éventré de la Loustiquette. Sur l'enveloppe, une main avait tracé : « Pour le commissaire Barnabé ». Le dessin représentait un pingouin.

– CHAPITRE 12 –

Une fois de plus Marinette se retint de tout casser, de cogner à poings fermés contre le mur. Elle avait mal.

Visiblement, Barnabé était passé par l'appartement. Il avait laissé son linge sale, avait pris une chemise fraîche, et refait ses bagages. Pas un mot, pas une pensée, rien. Trois ans qu'ils vivaient ainsi, comme des étrangers. Marinette avait ressenti un amour immédiat, instinctif, pour cet homme étrange qui ne partageait rien avec elle, sinon un plaisir rapide et sans grand élan. Dans sa déception, elle trouva enfin le courage de mettre fin à cette situation pathétique : elle n'avait pratiquement pas dormi, ressassant invariablement les questions qu'elle se posait. La nuit s'était éternisée dans cette sorte de tension étrange, dans une suite de phases de réveil et de cauchemars. Au matin, elle envoya une lettre de rupture, un pneumatique, plus rapide. Il recevrait le pli dans l'heure. Entre eux, c'était fini depuis longtemps. Maintenant, c'était fini pour toujours.

En arrivant à la gare pour prendre le train de Chamonix, Barnabé tenait une lettre à la main, enfin... un pneumatique. Il avait lu le petit bleu, et la tristesse était là, vieille bête familière. Autour de lui, des voyageurs pressés, des bagagistes en uniforme, des hommes d'affaires suivis de belles valises en porc, des femmes à chapeaux élégants, tout un ballet se déroulait. Des panaches de fumée s'enroulaient sur le quai autour des chevilles des voyageurs. D'immenses locomotives noires semblaient prêtes à s'élancer vers la Lune. Les chauffeurs, affairés, pelletaient du charbon, tandis que des escarbilles retombaient en pluie sur la gare, forçant parfois à plisser les yeux. De beaux wagons Pullman bleu nuit, ornés de lettres d'or, laissaient voir à travers leurs vitres des cloisons en bois précieux, et des conducteurs stylés, en gants blancs, attendaient les privilégiés.

Barnabé acheta les journaux – encore l'affaire Stavisky ! – et monta dans le train. Il fallait qu'il en ait le cœur net. Ce coupable, arrêté à Chamonix, devait être interrogé plus sérieusement. Barnabé ne mettait pas en doute la qualité du travail de Frassetto, mais il fallait recouper certaines informations. Il mit sa petite valise dans le filet, enleva son chapeau, le posa sur la banquette et s'abandonna un instant. Il ferma les yeux, et le visage d'Eleanora apparut. Une vive douleur le traversa : il revivait l'instant de la mort de son amour, ce moment terrible où il avait dit à la sage-femme de se débarrasser de l'enfant, qu'il n'avait même pas daigné voir. Une vague de culpabilité monta en lui, mais c'était trop tard, beaucoup trop tard. Il eut envie de boire une fine avec de l'eau.

Les haut-parleurs de la gare annonçaient des destinations exotiques, Monaco, Venise, Rome, Naples... Dire qu'il y avait des gens qui vivaient au-delà de l'horizon... Les paroles se noyaient en un bruit de fond continu, qui accompagnait les sifflements de la vapeur des locomotives. Soudain, Barnabé sursauta : il avait entendu son nom : « ... Le commissaire Barnabé, je répète, le commissaire Barnabé... » Que se passait-il ? Il ouvrit la fenêtre, héla un contrôleur :

– Qu'a dit l'annonceur ?

– Il demande le commissaire Barnabé. C'est vous ?

– Oui.

– Alors, il faut vous présenter au bureau du chef de gare. Vous êtes demandé au téléphone. C'est important, paraît-il.

Il remit son chapeau, prit sa valise et, les journaux sous le bras, se précipita. Était-ce Gino, qui allait lui annoncer un malheur ? Ou Jahandier, qui avait été affecté à la surveillance de Laurent Berry ? En partant, Barnabé avait bien insisté : « Tu ne le lâches pas. Tu te fais aider, vous vous relayez mais vous ne le perdez pas de vue. Tant que l'affaire n'est pas totalement éclaircie, il reste suspect. Il nous a menti, il cache quelque chose... Ce qui n'en fait pas un coupable pour autant, mais on ne sait jamais. »

Il monta quatre à quatre les marches qui menaient au bureau du chef de gare, où des employés diligents suspendaient des horaires et des destinations au moyen de longues perches à crochets. Il longea un couloir aux murs ornés de photos pittoresques – la Croisette, la Promenade des Anglais, la tour de Pise, le Colisée – et parvint dans un vaste bureau, où quatre hommes surveillaient les trains, face à une verrière qui ouvrait sur les voies. L'un d'entre eux, visiblement le responsable, était en manches de chemise, et se présenta avec une sorte de satisfaction sympathique :

– Je suis Albert Duprez, avec un « z », comme zèbre. On vous attendait.

Barnabé était essoufflé :

– Bien, bien. Où est le téléphone ?

Albert Duprez indiqua un combiné qui reposait sur une tablette. Barnabé prit l'écouteur.

– Allô ? Allô ?

Il entendit qu'au central, on connectait des fiches.

– Allô ? Mademoiselle, mettez-moi en relation.

La voix de la standardiste claqua :

– Voilà, voilà. Allô ? Opéra 12-16 ? Ne quittez pas, on vous parle.

Barnabé entendit la voix de Gino.

– Patron, c'est moi. Il y a du nouveau.

– Oui ? Fais vite, mon train ne va pas m'attendre !

– Il y a eu un nouveau crime. La fille...

– Quelle fille ?

– La fille qui m'avait renseigné, la femme Robinet dite la Loustiquette, a été tuée.

– On l'aura remerciée pour avoir parlé à la police ! Voilà tout. Ou bien son souteneur...

– Non, non, patron. Elle a été éviscérée.

– Ah, non !

– Et il y a une enveloppe pour vous.

– Pour moi ?

– Oui, avec votre nom dessus.

– Et tu l'as ouverte ?

– Elle était ouverte.

– Eh ! Dépêche-toi, qu'est-ce qu'il y avait d'écrit, dedans ?

– Rien.

– Rien ?

– Rien, sauf un dessin.

– Un dessin de quoi ?

– Un dessin de pingouin.

Barnabé s'épongea le front. Un pingouin ? Ça n'avait aucun sens. Pourquoi un pingouin ? Il demanda :

– Pourquoi un pingouin ?

– C'est ce qu'on s'est demandé. Finalement, c'est Jahandier qui a trouvé. C'est un pingouin d'une espèce spéciale.

– Oui ?

– Oui. C'est un macareux.

Le train de Barnabé venait de partir, dans un nuage de fumée grise, vers le Sud. Brusquement, il se souvint qu'il avait laissé la lettre de Marinette dans le compartiment. Le pire, c'est qu'il n'en éprouva aucune émotion.

Assis sur un coin de son bureau, le pli de son pantalon parfaitement droit, Gino lisait le dictionnaire encyclopédique Larousse, la grande édition. Il avait enlevé sa veste, et son gilet au dos de soie faisait l'admiration de tous, par la qualité du tissu et de la coupe. Il éleva la voix.

– Macareux : oiseau palmipède des mers septentrionales, variété de pingouin voisin du guillemot, à gros bec triangulaire, court et renflé. En latin...

– Bon, ça va, ça va.

Barnabé jeta un coup d'œil. Il y avait là Berthier, un jeune inspecteur frais émoulu, avec les cheveux frisés et le nez camus ; Jahandier, placide ; Gino, qui lisait le dictionnaire et contemplait les planches en couleur ; Barthélemy, un ancien taxi reconverti dans la police. Barnabé, une règle en fer à la main droite, tapait sur la paume de sa main gauche, ponctuant ses arguments et ses questions.

– On reprend tout. L'assassin m'a destiné un message. Qui dit que c'est le même que dans l'affaire Cortès ?

Berthier, qui n'avait pas encore fait ses preuves, se risqua :

– C'est le même découpage des corps, la même éviscération. Et la référence aux macareux...

– Un bon point pour toi, Berthier. Mais si c'était un piège ?

Gino intervint :

– Quel intérêt ? La fille a été tuée soit parce qu'elle a parlé, soit parce qu'on voulait nous adresser un message. Personnellement, je penche pour la deuxième hypothèse.

– Moi aussi, Gino. Mais le coupable de Chamonix ?

– Poudre aux yeux, commissaire. Les gendarmes sont des ânes.

– Peut-être, mais pas Frassetto.

– C'est vrai. Il est italien.

Barnabé pointa sa règle vers Jahandier. Celui-ci, la casquette ramenée en arrière, croisait les bras.

– Jahandier, tu es sûr d'avoir suivi Laurent Berry tout le temps ?

– Sûr, patron.

– Jamais perdu de vue ?

– Quelques minutes, mais pas assez pour qu'il ait le temps d'aller à Montparnasse. On était aux Champs-Élysées.

– Tu l'affirmes ?

– Ma main à couper, commissaire.

– Bien. Qui le surveille, en ce moment ?

– Robitaille, de l'équipe de nuit.

– Parfait. On garde le dispositif tel quel. Je veux savoir ce que manigance ce petit monsieur. On prend le temps qu'il faut.

Gino intervint :

– Il se peut qu'on soit coincés pendant des semaines.

– Peu importe. Ce qu'il nous faut, c'est du solide. Barthélemy ?

– Oui, patron.

– Tu reprends ton ancien métier.

– Je fais le taxi ?

– Exact. Et tu doubles la surveillance, en compagnie de Robitaille. Compris ?

– Compris.

– Bon, maintenant, on décortique. Berthier, débrouille-toi pour nous faire monter à manger. On va y passer la nuit.

Les heures filèrent. Dehors, les gens rentraient chez eux, après une journée de travail. Devant un petit salé aux lentilles obtenu à force de cajoleries au bistrot voisin, les policiers disséquaient l'affaire. Il y avait mille problèmes : les empreintes, qu'il fallait comparer au sommier central ; les allées et venues de Berry, qu'il fallait recouper ; son passé, qu'il était nécessaire de reconstituer. Le signalement de l'assassin, gentiment fourni par Pierrot-belle-chemise, qu'il faudrait donner. L'autopsie de la femme Robinet était en cours. Peu à peu, les tâches devenaient claires. À Jahandier, Robitaille et Barthélemy la surveillance de Berry. À Berthier la centralisation des renseignements. À Gino les recherches sur la malheureuse Loustiquette. Et à Barnabé la suite de l'enquête sur Cortès. Il conclut :

– Il y a d'autres personnes qu'il faudra interroger. Gino, va voir Roussel et reprends le fil. Ensuite, tu iras discuter avec l'ex-employeuse d'Arlette Stavisky. Il est temps qu'on s'intéresse à elle.

– Vous pensez qu'elle est mêlée à tout ça ?

– Elle l'est, je ne sais pas comment, mais elle l'est. D'ailleurs, je me demande si...

– Si quoi ?

– Si Stavisky lui-même...

– Je me suis posé la même question, patron. Mais là, on n'a rien. C'est juste du nez.

– Exactement. Donc, tu fais l'élégant, et tu demandes un rendez-vous à Mademoiselle Chanel. Arlette Stavisky a travaillé pour elle. Et c'est ainsi qu'elle a rencontré son mari.

Devant les assiettes vides et les bouteilles de bière, les hommes restèrent silencieux, perdus dans leurs pensées. Barnabé songea qu'il allait rentrer chez lui, où Marinette ne l'attendait plus. Avec une certaine lâcheté, il en fut soulagé.

En chemin, dans la rue, il avait un visage devant lui, comme un fantôme. Celui de Laurent Berry. Mais pourquoi avait-il ce sentiment de familiarité ? Où s'étaient-ils rencontrés ?

Il plongea dans le sommeil, avec un plaisir gâché par l'irruption de cauchemars assez abjects.

*
**

Xavier Jacquart, qui avait des fermages à Chamonix, non loin de la maison d'Alexis Cortès, était perplexe. Le cousin Chaignier, le fou, avait donc tué ces gens ? Cortès, l'institutrice ? Ce qui montrait à quel point on ne pouvait se fier à personne. Il murmura :

— On est bien peu de chose.

Il arpentait son terrain avec son fils, qui se trouvait un peu plus loin. À grands pas, la baguette de coudrier sous le bras, il vérifiait si les zones herbues étaient restées vertes, si l'accès au ruisseau n'avait pas été détruit par le ravinement et les pluies de printemps. À l'endroit où sa propriété jouxtait celle de Cortès, il s'arrêta un instant, but un coup de goutte, referma la bouteille et la glissa dans son havresac. Il se dirigea vers une petite construction basse, une maisonnette en pierre où les bergers pouvaient se réfugier lors de tempêtes inattendues : le cul de la cabane était creusé à flanc de montagne et, autrefois, servait aux contrebandiers venus de Suisse, qui y avaient ajouté une sorte de cave. Il n'y avait pas mis les pieds depuis de nombreuses années, mais tous ces mystères policiers, ces corps découverts, avaient réveillé sa curiosité. Que pouvait-il y avoir dans cette vieille bicoque, depuis le temps ? La construction, en pierres sèches, était couverte de lichens. Il poussa la grosse pierre plate qui bloquait le passage et ouvrit ce qui ressemblait à un soupirail. Il s'accroupit pour examiner l'ouverture, tout en promenant ses doigts sur la jointure de la porte.

175

– Sainte Mère de Dieu !

Effrayé, il se releva et héla son fils. Tirant une bougie de son sac, il l'alluma et la tendit au gamin. Celui-ci se faufila à l'intérieur, et se dirigea vers l'escalier taillé à même la pierre. Ils descendirent avant de pénétrer dans une pièce souterraine de deux mètres sur quatre, sombre et glacée. L'adolescent désigna, du doigt, un journal par terre. Quelqu'un était venu. Xavier Jacquart leva la bougie, la promena autour de lui. Un crochet, dans la pierre, attira son attention. Le fermier le toucha et, remarquant qu'il était mobile, l'abaissa. Une porte s'ouvrit dans un léger crissement.

– Regarde ! Un passage, papa !

– Sans doute une astuce de contrebandiers... Voyons voir.

Ils s'y glissèrent. Quelques mètres plus loin, l'odeur de moisi devenait de plus en plus forte. Tandis qu'ils progressaient, Jacquart dit :

– C'est peut-être une ancienne mine, ou une marnière.

Au bout de quelques minutes, ils arrivèrent dans une salle. On aurait dit une crypte.

– C'est pas gai, dit le gamin.

– Non. Du diable si je savais...

Dans un renfoncement, ils aperçurent quelque chose. Le fermier leva la bougie, et faillit la laisser tomber, de surprise. Il eut l'impression d'avoir pénétré dans l'antre de Lucifer.

Le renfoncement s'évasait, donnant naissance à une petite salle bien entretenue. Des étagères couraient sur trois côtés, sur lesquelles des dizaines de bocaux étaient entreposés. Des insectes dans le formol, des morceaux d'ambre, des crânes d'animaux. Les deux visiteurs étaient stupéfaits : le malaise plombait leurs gestes. Sur une table, il y avait des instruments de chirurgie. Et là, au fond, le pire : des bocaux avec... oui... des restes humains. Dans une jarre transparente, on reconnaissait des intestins, dans une autre, un pénis... Jacquart qui, pourtant, était dur à l'émotion et à la douleur, eut un choc. Il écarta son fils, le força à se détourner et, terrorisé, lui indiqua la remontée.

Au bord de la nausée, le souffle court, le fermier et son fils revinrent à la surface, hallucinés. Tandis que son père vomissait tripes et boyaux, l'adolescent courut à toutes jambes vers la gendarmerie.

– CHAPITRE 13 –

La section financière du parquet était submergée. Les litiges s'amoncelaient, les dossiers s'empilaient sur les étagères, les journaux sur le sol. Le conseiller Prince s'inquiétait : comment canaliser cette marée montante, ce maelström qui risquait de les engloutir tous, et d'engloutir la République ? Albert Prince avait une haute opinion de lui-même et de sa mission. Bien sûr, il avait été amené à fréquenter des personnages douteux comme Hayotte – la franc-maçonnerie avait de ces exigences –, mais il se méfiait. Quand celui-ci cherchait à l'attirer dans des affaires grises, Prince avait assez de bon sens pour s'en écarter. Cependant, il n'était pas exclu que Hayotte se serve de son nom pour des projets crapuleux. Mais comment le savoir ?

Cela dit, le conseiller Prince était un vrai bourgeois de l'entre-deux-guerres : il avait sa vie de famille, avec sa femme, ses fils et son chien ; et sa vie de plaisir, avec ses maîtresses et ses arrangements à l'amiable. La belle Arlette faisait partie de cette vie cachée... Il eut un pincement au cœur en pensant à elle. Il faudrait penser à lui acheter un bijou...

Le travail, au bureau, était colossal : malgré la présence de nombreux substituts, tout reposait sur Prince. C'était lui qui tranchait : poursuivre ou ne pas poursuivre. Le problème, c'est qu'il n'avait guère de moyens. Chaque affaire financière demandait des mois d'enquête, de paperasses, de comptabilité et, évidemment, les pressions « amicales » se faisaient alors puissantes. Les hommes d'argent avaient toujours des relations qui avaient des relations qui... Pis : la plupart étaient des frères en maçonnerie. Là, le secret était garanti, grâce à la fraternité du compas.

Jour après jour, cependant, sur la dizaine de dossiers neufs dont il prenait quotidiennement connaissance, Prince lançait des recherches : il convoquait des témoins, nommait des experts, demandait l'aide de la police. Le temps était compté. Le plus souvent, les prévenus avaient disparu. Hommes d'affaires véreux, banquiers indélicats, députés corrompus, sénateurs vermoulus, tous, dès qu'ils sentaient l'intérêt de Prince pour eux, se faisaient discrets. D'ailleurs, ils avaient toujours de bonnes raisons pour avoir touché des dessous-de-table : une mère aveugle, un fils malade, une famille nombreuse... Personne n'avouait jamais, en toute simplicité : « J'ai été corrompu par goût du lucre. » Jamais.

La section manquait de juges d'instruction : les banqueroutes frauduleuses, les montages crapuleux, les désordres nés de la Grande Dépression américaine, dont les effets avaient fini par traverser l'Atlantique, toutes ces affaires étaient souvent abandonnées, restaient souvent en panne, faute de moyens. C'était l'époque qui voulait ça, raisonnait

Prince : il y avait du chômage, de l'inflation, des fortunes rapides et des ruines retentissantes. En Allemagne, un banquier de génie, Hjalmar Schacht, avait réussi à juguler une inflation démoniaque – les gens allaient chercher leurs salaires avec des brouettes – et à consolider l'État. En France, les choses étaient plus floues. La machine judiciaire était lourde, lente, grippée. En général, le conseiller Prince arrivait trop tard.

D'habitude, oui, Prince arrivait quand la fête était finie.

D'où son étonnement. Comment diable le dossier Hudelo avait-il pu atterrir sur son bureau ? Louis Hudelo était une vieille connaissance. Ancien préfet de police de Paris, il avait ses entrées partout. Profitant des occasions gentiment présentées par ses amis, il avait fait jouer ses relations – il était désormais contrôleur des habitations à bon marché – pour entrer dans le conseil d'administration de la Foncière, une société présidée par un certain M. Alexandre. La Foncière devait élever des bâtiments, elle ne produisait que des bons. Lesquels se transformaient en argent sonnant et trébuchant.

Il se trouvait que le fameux M. Alexandre n'était autre que Stavisky. Lequel, c'était prouvé, était un escroc. Louis Hudelo avait alors poussé le dossier vers Prince, espérant qu'il serait discrètement enterré grâce à certains liens avec le Grand Orient de France. Le procureur général Pressard était intervenu, sur ordre du garde des Sceaux, que certains soupçonnaient d'être l'un des profiteurs qui gravitaient autour de M. Alexandre.

Le conseiller Prince avait été embarrassé : que faire de ce dossier ? Il avait beau le compulser, le retourner, le relire, rien n'en sortait. La Foncière s'était targuée – faussement – d'avoir des contrats publics ? La belle affaire ! Les porteurs ne s'étaient pas plaints ? D'autant mieux ! Prince classa le dossier Hudelo.

Pourtant un journaliste, Raymond Forester, avait eu vent de l'affaire. Son journal titrait : « Où en est l'enquête ? » Mais il pouvait toujours tempêter, Prince était décidé à enfouir le dossier. Il le posa sur une étagère et l'oublia, avec la bénédiction discrète du ministre. Mais il n'oublia pas la belle Arlette Stavisky, qui lui avait donné la houppette à poudre munie d'une petite boule d'ivoire travaillé, dont il ne se séparait jamais. Dans la poche de sa veste, le conseiller Prince touchait, discrètement, cet objet doux, féminin, et un tantinet incongru pour un magistrat. Hormis cette liaison passionnée, Prince occulta tout le reste.

Ce fut son erreur.

Laurent Berry marchait tranquillement dans la rue. Le chapeau sur la tête, les gants bien lissés, il descendait la rue de la Paix, s'arrêtant devant les boutiques des joailliers. Ce pauvre Alexis Cortès lui avait offert, en gage d'amour, une belle bague incrustée de diamants : ils sortaient tous deux de chez Maxim's et étaient allés s'encanailler au Jockey à Montparnasse, siège des arsouilles et des « cailles », autrement dit des voleurs et des homosexuels. Là, ils avaient dansé entre des couples de forts des Halles et, en regardant un rouleur costaud maquillé comme une donzelle, Alexis avait remarqué que le rouge à lèvres bavait. Il en avait profité pour retoucher son propre maquillage, et était venu se blottir contre l'épaule de Laurent. Tous deux avaient fini la nuit dans un hôtel borgne...

Leur liaison avait duré longtemps. Maintenant qu'Alexis était mort, il fallait passer aux choses sérieuses. Car Laurent Berry avait un but dans la vie : la vengeance. Mais c'était un but secret.

Dans la vitrine, il vit le policier qui le suivait depuis la Concorde. Ils se croyaient discrets, ces messieurs ! Mais Laurent avait appris à démêler leurs trucs. Il avait une sorte de prudence animale, un sixième sens qui lui permettait de sentir immédiatement le danger. Il alluma une cigarette, observant Robitaille dans le reflet de chez Boucheron, et reprit sa promenade. Sous le chaud soleil de ce mois de juillet, il se laissa aller aux souvenirs...

Il avait neuf ans. Dans la maison familiale, une bagarre venait d'éclater. Claudine, sa mère adoptive, brandissait un couteau. Ce n'était pas la première fois que le petit Laurent la voyait soûle. Du haut de l'escalier, l'enfant n'apercevait que le crâne de sa mère, la balustrade en fer forgé lui barrait en partie la vue. Un peu plus loin, il vit son père brandir une bûche. C'est sa voix qui lui parvint en premier :

— Espèce de salope ! Que je te surprenne encore à siffler mes bonnes bouteilles !

— Et alors ? Crève !

— Sale poivrote ! Je te flanque à la porte ! Allez, ouste ! À la rue, c'est ta place !

— Méfie-toi, j'ai un couteau !

– Je fais venir les gendarmes !

– Salaud ! Mouchard ! Vendu ! Si tu crois que je t'ai pas vu, avec le mioche ! Ce que tu lui fais !

Elle fit un pas vers le bonhomme en agitant le couteau. Devant la menace de la bûche, elle laissa tomber l'arme pour en prendre une autre : une hachette.

– Laurent, cours chercher Sylvain le gendarme ! cria le père.

Claudine se mit à vomir. La hachette lui glissa des mains. Elle tomba à genoux en braillant : « Salauds ! » Dans ce « salauds », elle englobait le père, Laurent, les autres enfants, le village, le reste du monde.

C'était donc ça, l'enfance ? Un enfer entre un monstre masculin et un monstre féminin ? Ces gens-là lui avaient gâché les meilleures années de sa vie. Sa vraie mère était morte. Mais son père, ah, son vrai père ! Il lui ferait payer. Il lui ferait regretter, avec des larmes de sang.

Laurent Berry reprit sa promenade. Il avait réussi son ascension sociale : grâce à Alexis Cortès, il avait rencontré le Tout-Paris, avait gravité autour de producteurs fameux, de propriétaires de journaux, de chevaliers d'industrie, dont Stavisky. Il regardait autour de lui, admirant les Parisiens à la terrasse des cafés, goûtant le brouhaha de l'avenue, cette animation qu'il n'avait pas connue à la campagne et qui, aujourd'hui, faisait partie de sa vie. Sa vie, si secrète, si compartimentée, si étanche que le plus fin policier ne pouvait rien y comprendre. Il se dirigea pour se rafraîchir vers un glacier, attentif à ne pas semer le policier qui le filait, mine de rien. C'était son meilleur alibi.

*
**

L'affaire Stavisky avait explosé au visage du conseiller Prince. Car aujourd'hui que le scandale s'étalait au grand jour et qu'Alexandre Stavisky avait disparu, recherché par toutes les polices de France, le simple fait d'avoir oublié le dossier Hudelo se retournait contre lui. Bien sûr, l'escroc avait eu des complicités au plus haut niveau de l'État. Mais elles restaient secrètes. Si bien que le seul responsable que tout le monde montrait du doigt, c'était Prince. « Mon métier devient insupportable », répétait-il à Arlette quand ils se rencontraient dans le petit boudoir de l'appartement de la rue de Saxe. Là, loin de la foule, loin du bruit, les amants se retrouvaient.

– Figure-toi que Caujolle, le comptable, m'a dit l'autre jour au café de Flore : « C'est aussi grave que l'affaire du collier de la reine. » J'ai cru que c'était une boutade. Mais non.

– Si seulement je savais où est mon mari...

En enlevant sa chemise, elle faisait attention à ne pas défaire sa coiffure. Elle garda ses bas et ses chaussures noires, et s'allongea, les seins nus, sur le lit.

– Tu aimes ? demanda-t-elle.

Prince, qui avait deux fois l'âge de cette jolie femme, plia sa chemise et posa ses fixe-chaussettes sur une chaise. Puis, nu, il se glissa près d'elle. Arlette se retourna sur le ventre, et lui intima, d'un doigt sensuel, d'embrasser son dos. Il s'exécuta.

Puis, les reins cambrés, elle enleva sa culotte et, se jetant sur lui, lui dit :

– Mon gros loup !

Il n'avait jamais été le gros loup de personne, mais il aimait.

Après, il alluma une cigarette. Les yeux brillants, les joues rosies, un sourire moqueur sur les lèvres, Arlette demanda :

– Alors, dis-moi, ça progresse ?

– Oui. La meute resserre les rangs.

– Et ton copain Hayotte ne t'aide pas ?

– Bien au contraire. Aux dernières nouvelles, il fait dans la fausse monnaie. Pourvu qu'il se tienne éloigné de moi...

– Et le procureur ?

– Il m'a demandé de lui livrer les documents sur...

– Sur qui ?

– Ah, je ne peux pas tout te dire !

– Tu ne peux pas tout me dire ?

Elle l'embrassa sur la hanche. Le conseiller Prince ferma les yeux, et la cendre de sa cigarette se répandit sur les draps. Elle répéta :

– Tu ne peux pas me dire ?

– Non...

Elle s'empara de la houppette et, la tenant par la boule d'ivoire, lui balaya le visage d'un geste doux et agaçant. Puis elle fit de même sur sa poitrine. Enfin, quand elle chatouilla le cœur intime du conseiller, il céda. Il avait des documents, dit-il, qui prouvaient que le ministre de la Justice était impliqué, qu'il avait bénéficié des faveurs de Stavisky, et ces documents, il allait les remettre au procureur.

– Ah ? Quand ça ?

– Demain. Au café de Flore. J'y joindrai mon rapport.

– Et après ?

– Après ? Je reviens te voir. Je suis ton gros loup, non ?

Elle se leva, remit la houppette dans la poche de son amant et, se souvenant d'un événement, questionna :

– Ton fils se marie la semaine prochaine, n'est-ce pas ?

– Oui.

– Je devrais lui acheter quelque chose...

– Surtout pas. Il ignore ton existence. Reviens jouer avec la houppette, veux-tu ?

Incontestablement, le conseiller Prince était amoureux.

– Alors ? Qu'as-tu trouvé sur notre ami Berry ?

Barnabé, les doigts passés dans la ceinture, regardait par la fenêtre. Derrière lui, Berthier, poupin, était assis et transpirait légèrement. Jahandier, calmement posé sur un radiateur, attendait son tour. Gino était en vadrouille quelque part. Barnabé demanda :

– Où est Robitaille ?

Jahandier décroisa les bras :

– Il filoche Berry, patron. Il vient de me téléphoner d'un bistrot. Ils sont à la Madeleine. Notre homme prend son temps. Il n'a pas l'air dévasté de chagrin.

– C'était de la comédie, l'autre jour.

– Et Barthélemy ?

– Il est en deuxième ligne. Il suit Robitaille, au cas où celui-ci serait repéré.

– Très bien. Berthier, fais-nous monter des bières. Bien fraîches, hein !

Le jeune homme se leva et s'éclipsa derrière la double porte vitrée. Une secrétaire passa la tête :

– Commissaire ?

– Oui ?

– Un câble, pour vous. Il faut venir.

– J'arrive. Vous autres, attendez-moi.

Il suivit la femme, qui peinait à descendre les escaliers. Plusieurs maternités lui avaient abîmé les jambes. Elle souffla en arrivant au bureau des communications : un réduit où trois téléphones prioritaires et deux récepteurs télégraphiques étaient disponibles. Barnabé regarda les machines d'un air soupçonneux : il n'avait jamais appris à se servir de ces monstres. La secrétaire décrypta le message, et lut : « Découvert nouveau charnier à Chamonix. Stop. Horreur. Stop. Tenons le suspect à disposition. Stop. Venez. Stop. Frassetto. » Ainsi, l'affaire de Chamonix ne s'arrêtait pas là ? Le fou Chaignier, qui était détenu, avait-il pu exécuter seul tous ces crimes ?

Le problème, pour Barnabé, était simple : aller à Chamonix ou rester ici ? Il ne pouvait se couper en deux. La situation exigeait qu'il garde un œil attentif sur ce qui se passait à Paris, pour démêler l'affaire. Quelque chose lui disait que Chamonix et Stavisky étaient liés, que l'assassinat d'Alexis Cortès et la présence d'Arlette Stavisky n'étaient pas fortuits. Des correspondances souterraines existaient, il en était sûr. En remontant à l'étage, il ferma les yeux un instant, dans la demi-obscurité de l'entresol : Laurent Berry ressemblait à quelqu'un. Mais à qui ?

Il se dirigea vers le bureau. Il avait pris une décision : Chamonix attendrait. Frassetto pouvait interroger le fou, inspecter le site sanglant, et le tenir informé. Il serait en relation avec Alice. Sa connaissance de la carrière de Cortès, de la situation de Berry la rendait précieuse. Il eut un sourire en évoquant leur nuit d'amour et poussa la porte vitrée.

Jahandier le cueillit avec les dernières nouvelles :

– Laurent Berry est rentré chez lui, avenue Mozart, patron. On l'a à l'œil.

– Bien. Il semble qu'à Chamonix, les choses progressent. Voici...

Il leur raconta les derniers développements : la capture d'un suspect, le site du massacre, la présence de Frassetto. Il conclut :

– Messieurs, ma conviction profonde est que nous n'avons pas encore mis le doigt sur le cœur de cette affaire, qui nous échappe. Mais pas pour longtemps. Pour moi, Berry est fort probablement mêlé à tout ça. On se concentre sur lui. Par ailleurs, quelque chose me dit que Stavisky est l'un des acteurs de cette curieuse pièce que l'on nous joue. Essayons de le retrouver. Mais attention : en douceur. Il ne faut pas que le directeur de la P.J., tel député ou tel ministre nous appelle pour nous brider, ce qui arrivera immanquablement si on s'aperçoit en haut lieu de nos investigations. Donc, messieurs, de la discrétion. Compris ?

Tous hochèrent la tête. Barnabé reprit :

– À toi, Berthier.

Celui-ci distribua les bières bien fraîches, reprit sa place et se mit à lire son dossier :

– Voici ce qu'on a réussi à rassembler comme renseignements sur Laurent Berry. C'est un enfant adopté par une famille du Limousin. Alcoolisme, misère, enfance malheureuse... Toujours est-il qu'il est parti dès qu'il a pu. On nous a décrit un gamin agité, intelligent, capable du meilleur comme du pire. Bizarrement, la ferme familiale a flambé il y a six mois, et il ne reste rien. Les gens du coin se souviennent mal, ou ne tiennent pas à se souvenir. Les Berry n'avaient pas très bonne réputation. La mère sortait avec des hommes, dit-on.

– Bien. Que s'est-il passé quand il est parti ?

– On ne sait pas pour l'instant, patron. On continue à se renseigner. Mais on retrouve sa trace sur un transatlantique, le *Lusitania*. Il a tenté de s'implanter aux États-Unis, mais il n'en est rien sorti. La crise économique... Il a fait plusieurs petits boulots, dont livreur pour un fleuriste, vendeur de journaux, chauffeur de maître à New York. À la même époque, on retrouve sa trace en Californie, mais c'est sans doute une erreur. Il ne peut pas être à deux endroits en même temps, hein, chef ?

– Bien sûr. Continue.

– En revenant à Paris, il s'est mis à fréquenter les boîtes d'invertis, comme La Boule noire, rue Vavin...

– Je connais.

– Le Hameçon à Montmartre et Le Jockey rue de la Gaîté. Il s'est glissé dans les milieux du cinéma, et c'est ainsi qu'il a rencontré Alexis Cortès. Le type qui nous a raconté ça, c'est le patron du Jockey,

Marcello, qui est l'un de nos indicateurs. Marcello a besoin d'être aimé, chef. Il est d'une laideur, je ne vous dis que ça...

– Oui, oui, je sais. On le surnomme « Il est vilaine ».

– Ah oui, chef !

Les autres s'esclaffèrent. « Ille-et-Vilaine », quelle bonne blague ! Jahandier, les yeux plissés, en pleurait de rire.

– Reprenons, Berthier.

Berthier, heureux de son effet, reposa sa canette de bière et continua :

– Le bilan, chef, c'est que Berry vit avec Cortès, auquel il sert de secrétaire. Enfin, servait... L'autre en avait fait son légataire universel. Évidemment, le mariage avec Mireille Laborde est venu perturber cet arrangement.

– Surtout qu'il y avait un enfant en route. Voilà un mobile possible, patron.

– Oui, Jahandier. Mais ce n'est pas une preuve. On continue.

La secrétaire aux jambes lourdes passa la tête par la porte vitrée.

– Pour vous, commissaire. Téléphone.

– Je le prends ici.

Il décrocha l'écouteur, le porta à son oreille, et souleva l'appareil pour placer le micro devant sa bouche. Il entendit une voix féminine.

– C'est Alice ! Tu m'entends bien ?

– Oui, oui. Je ne suis pas seul. Vas-y.

– Je suis allée voir le type qu'ils ont enfermé, tu sais, celui qui a avoué, Chaignier. Il s'accuse de tout. Il a tué Cortès, dit-il, il a démembré des gens, il a découpé Mireille Laborde.

– C'est plausible, non ?

– Il a aussi tué Jésus d'un coup de couteau dans le dos...

– Ah, en effet... Ça en fait un déicide. Ce n'est pas dans le Code Napoléon, ça.

– J'en profite pour te dire que j'ai envie de te voir.

– Ça ne saurait tarder.

– Ah, autre chose...

– Oui ?

– Frassetto et moi, nous avons vu quelqu'un près du chalet ce matin.

– Et... ?

– Ce quelqu'un, j'aurais juré que c'était Laurent Berry.

– Impossible. On était avec lui.

– Je sais. C'est sûrement une erreur, mais quand même...

Il ne l'embrassa pas, mais le cœur y était. Cette affaire commençait à porter sur les nerfs de tout le monde. Si on se mettait à voir des fantômes, c'était la fin de tout. Il raccrocha, agacé et, malgré tout, content d'avoir parlé avec la jeune femme. Parole, il était en train de tomber amoureux.

– CHAPITRE 14 –

Jeanne d'Arcy se regarda dans un miroir. Elle vit une femme aux yeux pers, entre deux âges, légèrement enveloppée, mais les rondeurs étaient à la mode, Dieu merci. Dans certains milieux, on préférait des grandes planches à pain, des filles qui n'avaient ni hanches ni seins, et que les « petites robes noires » de Coco Chanel habillaient avec élégance. Jeanne, elle, préférait les créations de Molyneux ou de Patou, mais elle n'avait pas les moyens de se les offrir. Car, à quarante ans, une femme n'était plus une femme : elle tombait dans une autre catégorie. Celle des amants de passage, des gigolos, ou des épouses trompées. C'était l'époque qui voulait ça : il n'y en avait que pour la jeunesse !

Ses tournées devenaient plus rares, il fallait bien l'avouer. Dans son petit deux pièces de la rue de la Gaîté, où elle attendait vainement des jours entiers qu'on fasse appel à elle, elle avait collé au mur les affiches de ses galas : à l'Ambigu, elle avait joué dans *Poch'toi d'là*, une revue troupière qui avait eu un succès considérable ; à l'Athénée, elle avait eu le rôle principal de *Tambour et mademoiselles*, une comédie chantante de Pills et Tabet ; aux Folies-

Montmartre, elle avait d'excellents souvenirs de *Mousse-moi, Mousse-toi*, une opérette « de bain » où, en tenue légère, elle avait fait palpiter les cœurs de ces messieurs... Maintenant, son imprésario lui envoyait parfois un petit bleu pour lui proposer une soirée de chansons à Perpignan, ou un gala à Montélimar. Le temps des grands succès était bien passé. Mais elle allait se battre. Le devant de la scène était occupé par Mistinguett, certes, mais c'était une vieille : elle avait cinquante-huit ans ! Et elle montrait encore ses jambes dans *Paris qui danse* ! Le plus grand danger, pourtant, venait de cette négresse qui leur montait à la tête, parole, cette... Joséphine Baker, qui raflait tout avec sa chanson *J'ai deux amours*, une nouveauté. En plus, elle entrait en scène avec un léopard et n'avait, pour tout vêtement, qu'une ceinture de bananes.

– Évidemment, si je montrais mon cul...

Jeanne essaya de regarder son postérieur dans la glace, en se retournant, mais ses contorsions ne firent que la déprimer un peu plus. Attendre, toujours attendre... Les jours où elle faisait la fête à Paris avec Stavisky étaient révolus. C'est qu'il était drôle, l'animal, et charmant ! À l'époque, ils avaient une cuisinière, deux femmes de chambre, un chauffeur, et ils dépensaient sans compter ! Huit mille cinq cents francs par jour ! Les cartons à chapeaux s'empilaient dans leur demeure de La Celle-Saint-Cloud, les boîtes à chaussures, les toilettes de Balenciaga, les bijoux de partout. Stavisky payait, payait, payait. Elle se doutait bien que l'argent était douteux, mais qu'importe ! L'idée, c'était de s'amuser.

Ils s'étaient beaucoup amusés. Elle se souvenait d'un été passé sur la côte normande, dans une villa baptisée « All Right », en compagnie de Hayotte. Ils avaient fait exploser la caisse du casino de Deauville. Le champagne coulait à flots, et entre deux coupes, Hayotte montait les affaires que Stavisky inventait. Ils achetaient des chevaux, les revendaient, élaboraient des montages financiers, fondaient des sociétés éphémères, et dînaient avec des préfets, des députés, des artistes, des généraux, des sénateurs... Il y avait toujours de belles femmes, toujours de l'argent. Quand ils étaient partis pour l'hôtel Negresco à Nice, au volant de la superbe Marmon 879, ils étaient au sommet de la gloire : on les reconnaissait partout, on leur faisait fête, on la couvrait de fleurs. On parlait un peu du Crédit d'Orléans, un peu de la Foncière, un peu du mont-de-piété de Bayonne, et on passait à autre chose. Puis, ivres, les deux amants se retrouvaient dans leur somptueuse suite, et faisaient l'amour dans une débauche de champagne. Une fois, Stavisky avait même bu du Dom Pérignon dans un récipient qu'on ne nomme pas...

Elle haussa les épaules. Déjà, elle avait eu de la chance de tomber sur son amant actuel, Louis Bert. Il avait quinze ans de moins qu'elle, certes, mais qu'importe ? Il était beau, il était jeune, il était fougueux, et c'est ce qui comptait. Il s'absentait souvent « pour ses affaires » – elle avait assez de bon sens pour ne pas en demander plus – et revenait avec des fleurs pour elle. Au fond, il leur aurait suffi de continuer à vivre ainsi, bien tranquillement. C'est pour cette raison qu'elle avait été surprise quand Louis l'avait poussée à réclamer l'argent qu'elle avait investi dans le Cadet-Roussel, la petite boîte au coin de la rue. Au début, elle avait fait la sourde oreille. Pourquoi s'embarquer dans une affaire qui allait leur coûter cher, et qui risquait de ne rien leur rapporter ? Stavisky était insaisissable, elle le savait depuis toujours. Quand il l'avait quittée pour se mettre en ménage avec Arlette, Jeanne avait eu le cœur gros. Les quatre cent mille francs qu'elle avait prêtés avaient été engloutis. Elle en avait fait son deuil.

Mais Louis était revenu à la charge : cet argent leur serait bien utile, disait-il. Elle avait deviné qu'il traversait une phase difficile. Et, un soir qu'ils avaient fait l'amour avec passion, il avait reparlé de ce projet.

– On saurait se servir de cet argent, Jeanne, tu sais. On déménagerait. On irait s'installer au Champ-de-Mars, il y a de beaux appartements. Ou avenue Mozart. Ou ailleurs.

– Mais il ne se souvient même plus qu'il me doit cet argent. Tu ne le connais pas, tout lui glisse entre les doigts...

– Qui te dit que je ne le connais pas ?

Elle l'avait regardé, interloquée. Comment son amant pouvait-il avoir rencontré Stavisky, le chevalier d'industrie ? Puis elle vit qu'il plaisantait. Il lui pinça le téton :

– Aïe ! Tu me fais mal !

– C'est pour jouer, Jeanne.

– Jouons autrement.

Ils jouèrent autrement. L'entrain de Louis était contagieux. Le lendemain matin, elle donna son accord.

– Bien, je vais essayer de récupérer les sous. Mais il faut trouver Stavisky, d'abord. Or, tout le monde le cherche.

– C'est plus simple. Il suffit de demander à la police de le chercher pour toi.

– La police ? Mais elle est à la solde de Stavisky ! Il les a tous achetés !

– Non. Pas tous.

– Tu as une idée ?

– Mieux que ça. Un nom.

– Qui ?

– Va voir le commissaire Barnabé.

– Qui est-ce ?

– C'est l'homme de la situation.

Jeanne d'Arcy, en regardant par la fenêtre, entendit un vitrier : « Vitrier ! Vitrier ! » Un homme s'avançait au milieu de la rue, se frayant un chemin entre les chevaux, les rares voitures et les piétons, avec une énorme vitre sur le dos, prise dans un cadre en bois. À la demande, il montait et remplaçait les fenêtres brisées, les mastiquant d'un doigt expert. Elle repensa à son enfance à Metz, à son père qui était gantier : « Durand Gants » était une marque connue, à l'époque. Elle se demanda vaguement si elle ne ferait pas bien d'aller voir Barnabé, pour relancer l'affaire. Elle préféra attendre Louis, en scrutant l'entrée du Cadet-Roussel, où un homme élégant venait de pénétrer.

Gino hésita un instant, prit le temps d'allumer une cigarette. Il avait mis un complet beige, finement rayé de fil marron, avec de petits revers et quatre boutons en nacre. Le pantalon, coupé près du corps, s'évasait en bas pour s'ouvrir sur le pied délicatement cambré. La canne en main, les gants de soie à trois boutons soigneusement lissés, le chapeau assorti, avec une bande de satin léger le long de la coiffe, Gino avait fière allure. Il épousseta une imaginaire saleté sur son épaule, jeta un coup d'œil autour de lui – c'est là que la Loustiquette avait travaillé, et elle méritait mieux que ce destin sordide qui l'avait menée à la morgue. Il eut une pensée pour elle et entra au Cadet-Roussel.

Il descendit une volée de marches qui le menèrent à la caisse. Une femme en rouleaux, les manches relevées, balayait. Il demanda :

– Pour M. Roussel, c'est tout droit ?

– Non, à cette heure-là, il est chez le concurrent.

– Ah, où ça ?

– Ben... au Jockey.

– C'est dans les parages, n'est-ce pas ?

– Oui, juste au coin de la rue.

Gino ressortit. Dans la rue de la Gaîté, il jeta un coup d'œil vers le haut, où les hommes de Hayotte s'étaient faits discrets. La librairie Miroton était « temporairement fermée ». La police avait enquêté sur le meurtre de l'autre jour, mais n'avait pas retrouvé d'arme. Du coup, la bande avait dû décamper. Sans doute Hayotte avait-il trouvé une autre planque pour ses activités peu catholiques.

Gino passa devant le bistrot où Pierrot-belle-chemise tenait ses assises. Celui-ci le reconnut, lui lança un rapide clin d'œil pour marquer le coup, et fit semblant de se plonger dans la lecture du journal des courses. Gino avait fait relâcher l'Édredonneuse après la mort de la Loustiquette. On ne pouvait pas laisser un homme sans moyens de subsistance...

Pierrot avait apprécié. Il était hors de question qu'il manifeste publiquement une quelconque reconnaissance envers un « de la rousse », un policier, mais, parole de marlou, il avait une dette d'homme envers Gino. De temps en temps, discrètement, il lui glissait un tuyau.

Gino poursuivit son chemin. Au coin du boulevard Edgar-Quinet, non loin du cimetière Montparnasse, il repéra l'entrée du Jockey. C'était une boîte qui ne payait pas de mine. L'entrée était peinte en stries bleues et blanches, et un œilleton permettait de voir ce qui se passait dehors. En cette fin d'après-midi, il ne se passait rien. Gino poussa la porte et entra. Il aperçut d'abord un long couloir tapissé de velours rouge, orné de statuettes antiques, des moulages en plâtre. Hercule, Adonis, Achille se succédaient, l'un tenant une lance, l'autre un arc bandé, dans des poses qui permettaient d'entrouvrir leurs toges sur des cuisses musclées. Gino s'engagea dans l'escalier, qui menait vers une salle discrètement éclairée, où étaient installés, à la suite les uns des autres, des sièges et des canapés. À cette heure-ci, il n'y avait presque personne. Un couple de garçons, dans un coin, attendait le chaland : ils avaient les yeux charbonneux et le teint poudré. Gino aperçut un gros homme en redingote, le ventre tendu sous un gilet de soie rouge, portant une lavallière jaune et d'énormes bagues à chaque doigt. D'une voix aiguë, il donnait des ordres aux mignons qui se trémoussaient sur l'estrade.

– Mes biquets, mes biquets ! L'éclairage ! Gino, tu oublies l'éclairage !

Gino sursauta. Mais il s'agissait d'un autre Gino, un jeune homme pâle qui portait un maillot très ajusté et dont le sourire, immense, mangeait le visage. Gino numéro deux arrangea un projecteur et se fondit dans le décor, qui représentait une jungle. Un garçon peint en noir, les lèvres rouges, jaillit sur la scène : il portait une ceinture de bananes sur son corps presque nu. Il se mit à chanter *J'ai deux amours*, imitant Joséphine Baker, en lançant des œillades lascives à un garçon vêtu en policier d'opérette et à un autre, déguisé en fort des Halles. L'ensemble donnait une impression d'érotisme crapuleux, de séduction transpirante. L'homme aux bagues fit signe au pianiste d'arrêter. Se tournant vers Gino, il demanda :

– À qui ai-je l'honneur, doux seigneur ?

Ses yeux globuleux, d'un bleu clair, dominaient un visage ingrat. Gino se présenta, un peu mal à l'aise, et dit :

– Je cherche M. Roussel, qui, me dit-on, est chez vous.

– Pardieu ! Bien sûr qu'il est chez nous, et il y est fort bien !

– Puis-je lui parler ?

– Certes, certes. Vous ne vous en porterez pas plus... mâle !

L'homme, qui agitait ses mains surchargées, éclata d'un rire strident, comme celui d'une femme hystérique. Les boys, sur la scène, se mirent aussi à rire. Malgré tout, il régnait une atmosphère bon enfant, un peu potache, un peu fielleuse, mais pas désagréable. Un doigt bagué d'une grosse améthyste indiqua une porte masquée par un rideau.

– Là !

Gino toucha son chapeau pour remercier, et écarta le rideau. Derrière, il y avait un couloir pisseux, des murs écaillés, et une série de portes. Gino se dirigea vers une loge, où il entendait des voix. Par les portes entrouvertes, il voyait des danseurs qui se maquillaient, vérifiaient leurs costumes ou, plus simplement, fumaient une cigarette en attendant l'heure du spectacle. Plus loin, des morceaux de décor, des plumes, des bandes de strass étaient posés en vrac. Des taches d'humidité s'étalaient sur les murs, formant un vilain contraste avec le luxe de la salle publique. Gino frissonna en pensant au cimetière Montparnasse, dont l'enceinte longeait l'arrière du bâtiment. Tous ces morts...

Mais en bon Napolitain qui en avait vu d'autres, il continua. En arrivant devant la dernière loge, il se présenta devant la porte, qui était ouverte. Un homme d'âge mûr, mince, le nez en lame de couteau – sans doute Roussel – discutait avec un jeune garçon en tenue de scène. Ce dernier était assis sur ses genoux, et faisait des mines un peu ridicules, accompagnées de mouvements de poignet.

– On ira, hein, Rou-rou ? On ira, dis-moi ?

– Mais oui, mon chéri. On ira, mais tu sais, j'ai du travail avec ma boîte.

– Oui mais tu m'as promis... Tu m'as promis !

– On ira à Deauville, c'est sûr. Tu verras, c'est très chic. Tu t'y plairas.

Gino toussota. Roussel détourna le regard et, sans gêne aucune, fit signe d'entrer, d'un mouvement de menton. Le jeune homme, lui, prit un ton geignard :

– C'est qui, celle-là, hein, Rou-rou ?

– File, mon chéri, je te rejoins.

– Et Deauville ?

– Je m'en occupe.

201

Après un rapide petit baiser sur les lèvres, le jeune danseur, la moue boudeuse, tira sa révérence. Roussel se leva, ferma la porte derrière Gino, l'invita à s'asseoir. Celui-ci se sentait en terre étrangère : il avait bien fréquenté, dans sa jeunesse, des invertis, mais il n'avait jamais plongé dans le milieu. Lui, l'homme à femmes, le gandin, en restait légèrement étonné. Roussel s'adressa à lui, se rasseyant :

– Laissez-moi deviner. Vous êtes de ces messieurs ?

– Que voulez-vous dire ?

– Ben, de la police, évidemment.

– Bien vu.

– La boîte est assurée.

– Que voulez-vous dire ?

– Je veux dire que Le Jockey est déjà... en bonnes mains. Si vous venez pour une petite gratification, il faut vous adresser au commissaire Zanino, avec qui nous sommes en excellents termes.

– Ah, dites, vous êtes direct, vous !

– On gagne du temps, monsieur...

– Gino. Je suis l'assistant du commissaire Barnabé.

– Ah...

Ce « ah », étonné et plaintif, changea la nature de la conversation. Visiblement, Roussel n'aimait pas la police – ce qui se comprenait, après tout, vu la nature de ses relations – mais détestait qu'on vienne saigner quelqu'un devant chez lui. Immédiatement, il se redressa dans son petit canapé, et s'accouda sur ses genoux.

– Écoutez, monsieur Gino... Cette histoire nous a empoisonnés. Croyez-moi, je n'y suis pour rien.

Notre affaire tourne gentiment, et le Cadet-Roussel a bonne réputation.

– Et Le Jockey ?

– Mauvaise, mais c'est tout bénéfice. Plus elle est mauvaise, plus c'est excellent pour nous. Le bourgeois aime s'encanailler, je ne vous apprends rien, monsieur Gino.

Gino sourit. Il enleva un gant, qu'il déboutonna soigneusement, et sortit son étui à cigarettes, le présentant à Roussel. Celui-ci se servit, et alluma la cigarette de Gino. Ce simple geste semblait créer un lien ténu, une sorte de fraternité invisible entre les deux hommes. Gino, finalement, ne se sentait pas mal dans ces bas-fonds, comme s'il y avait passé une partie de sa vie. Il tira une longue bouffée, et s'adossa plus confortablement. Sur la table de maquillage, il y avait quelques photos : hommes ou femmes ? On était dans l'entre-deux, une sorte de zone grise du sexe où les limites se fondaient, où les interdits disparaissaient. Roussel, pensif, reprit :

– Vous savez, la vie n'est pas toujours facile. L'autre jour, au grand bal Bullier, c'était la soirée travestie : tous les gars des Halles, les charcutiers, les bouchers, les dépeceurs, étaient venus. Fallait voir : ils étaient gentiment maquillés, avec la barbe sous le fond de teint, en jolies robes... Magnifique ! On a eu du succès ! Trois mille personnes, et pas une femme ! C'était très mignon, de voir tous ces costauds dansant dans les bras du copain...

– J'en ai entendu parler...

– Oui, il y a aussi le bal de la tour Eiffel et celui de la montée de Ménilmontant. Vous n'imaginez pas le nombre de couples qui se forment alors... Des gars qui ont une âme de petite fille... Il y en a même qui viennent avec des bigoudis, oui, des bigoudis ! C'est la tradition, et la police nous fiche la paix. Mais la semaine dernière, allez savoir pourquoi, ils ont fait une descente. Et mon petit ange, là, il a été embarqué ! Il l'a très mal vécu, ça va sans dire. Être traité de fiotte par ces messieurs du Quai des Orfèvres, ça vous fait un choc !

– En fait, je suis venu...

– Je sais, je sais. Je vous raconte ça pour vous faire comprendre que la vie n'est pas toujours facile, pour nous.

– J'imagine.

– Non, monsieur Gino, vous n'imaginez pas. Mais je comprends ce qui vous amène... Comment va le commissaire ?

– Juste une égratignure. Il va bien.

– Ah, j'en suis heureux. Que puis-je pour votre service ?

Juste à ce moment, l'orchestre commença à jouer. C'était l'heure où les premiers clients allaient venir, où la soirée débutait. Roussel leva les sourcils.

– Au travail ! Allez-y, monsieur Gino.

– Vous connaissez Jeanne d'Arcy ?

– Oui, bien sûr. Je l'ai dit au commissaire l'autre jour.

– Que pouvez-vous me dire de plus ?

– Mmmm.... Voyons. De plus ? Je vais vous dire tout ce que je sais d'elle, et vous ferez le tri. Voilà : il y a quelques années, je l'ai engagée pour un tour de chant au Cadet-Roussel. Pas ici, évidemment. Les femmes, au Jockey, sont malvenues...

– Je comprends.

– Elle a eu un certain succès, elle chantait *Rantanplan mes belles jambes*, je ne sais pas si vous vous souvenez, et puis *Derrière mon derrière*, une chanson, disons, osée, mais qui plaisait énormément. Ça a duré. Elle était jolie, elle n'était pas farouche, et le public l'adorait. Mais, j'ose le dire, en amour, elle est comme toutes ces filles...

– C'est-à-dire ?

– Malheureuse. Elle fait de mauvais choix. Elle a rencontré Doisy, qui était en fait Alexandre Stavisky, ils ont fait la fête, la grande fête, puis il l'a laissée tomber pour Arlette, qu'il a épousée. Jeanne s'est retrouvée gros-jeanne, si j'ose dire. Il lui avait soutiré une énorme somme, quatre cent mille francs je crois, pour investir dans la boîte, disait-il, mais...

– L'argent s'est évaporé ?

– Exactement.

On frappa à la porte. Une tête passa : c'était celle du jeune danseur, Gino. Vu de près, il perdait toute cette aura de tristesse qu'il dégageait sur la scène. C'était un garçon blond, le front haut, le regard clair. L'homme et la femme, en lui, semblaient cohabiter avec harmonie. Il était torse nu. Il regarda son homonyme, assis, et lança à Roussel :

– On vous demande. Les livreurs de bibine.

– J'arrive. Dis-leur d'attendre, Gino, s'il te plaît.

Une fois de plus, Gino le policier se sentit bizarrement gêné, d'entendre ainsi son prénom utilisé pour quelqu'un d'autre. Il lissa le pli de son pantalon, qui n'en avait nul besoin. Constatant son émoi, Roussel dit en riant :

– Parole, inspecteur, vous allez vous plaire chez nous !

– Allez, continuez.

Roussel fit tomber par terre la cendre de sa cigarette.

– L'argent s'est évaporé. Jeanne d'Arcy a repris sa carrière de chanteuse, mais le temps était passé. La mode, je ne vous l'apprends pas, est fugace. Elle a eu du mal à renouer, mais enfin... J'ai été très surpris d'apprendre qu'elle cherchait à retrouver Stavisky, l'autre jour. D'autant plus qu'elle a refait sa vie.

– Avec... ?

– Avec un jeune gars d'ici. Il dansait au Jockey, Louis. Louis Bert. Bien de sa personne, charmant, mais un peu sauvage, si vous voyez ce que je veux dire. J'ai été étonné quand j'ai su qu'il s'était mis en ménage avec une femme. Il n'aimait que les messieurs plus âgés. Il y a de ces miracles... En plus, poète à ses heures. Il écrivait des vers.

– Tiens ?

– Oui. Mais, monsieur Gino, il faut que je vous quitte. Vous êtes chez vous, ici. Restez pour le spectacle, ça vous plaira, vous verrez. Bien le bonjour ! Je file.

Le temps de saluer, il était parti. Resté seul dans la loge, Gino laissa son regard errer. L'endroit sentait l'amour tarifé, le fard aigre et la poussière. Il se leva. Il allait partir, quand Gino le danseur ouvrit la porte. Sans doute avait-il écouté. Gino demanda :

– Alors, on laisse traîner son oreille ?

– Ben, inspecteur, c'est normal, non ? Je suis curieuse, moi !

Le garçon partit d'un éclat de rire. Son visage s'illumina. Prenant le policier par la main, un peu interloqué, il l'emmena en courant vers la salle. Les clients commençaient à s'installer. Il y avait des élégants en costume de soirée, les yeux lourdement maquillés de khôl, des quinquagénaires ravis d'être entourés de mignons, des débardeurs en tricot rayé sous une veste croisée, des petits commis qui venaient arrondir leurs fins de mois, des efféminés snobs qui jouaient avec leur monocle, bref, toute la faune du monde des messieurs-dames – c'était le terme à la mode, cette année-là, pour désigner les homosexuels – était là, dans une demi-obscurité. Les rires aigus fusaient, des baisers s'échangeaient, des bouteilles de champagne circulaient. Gino reconnut un couturier célèbre, un académicien, un fils de ministre.

Son compagnon le força à s'asseoir sur un petit canapé, non loin de la scène, dans un coin d'ombre. Son torse nu luisait, pailleté par la sueur. Gino demanda :

– C'est quoi, ton vrai nom ?

Le jeune homme renversa la tête, exhibant un cou qui appelait les baisers, et, en se laissant tomber dans les coussins, dit :

– Audibert. Mais Gino, c'est mieux.

– Eh bien, comme je m'appelle moi-même Gino, je te baptise Audibert, ça sera plus simple, non ?

– Si vous voulez.

Un serveur dans un smoking sans manches leur apporta une bouteille. Ils trinquèrent. Gino regarda la scène : le spectacle allait commencer. Il eut le temps de poser une question :

– Tu as connu Louis Bert ?

– Ah ben ça, oui ! Il a même punaisé un poème dans ma loge quand il est parti ! Je le connais par cœur :

Au revoir mon bébé bleu
Ton papa s'en va à la chasse
À la chasse au macareux
Si tu dors bien, si tu es sage...

La musique éclata, dans une débauche de cuivres. Les danseurs se précipitèrent, plumes en avant, sur la scène. Le public applaudit à tout rompre. Un marin enleva son faux soutien-gorge. La fête commençait. Gino décida de rester.

– CHAPITRE 15 –

Marcel Chaignier martelait les barreaux de la fenêtre. Enfermé dans l'unique cellule de la gendarmerie de Chamonix, il invoquait Dieu, parlait aux anges, dialoguait avec les saints, jetait des sorts et se lançait dans des grandes tirades sur l'état de l'univers. Échappé de l'hôpital psychiatrique de Saint-Égrève, dans la banlieue de Grenoble, il avait été suivi par le bon docteur Clerc, un homme affable et doux qui se réfugiait dans son travail. Le défaut de ce médecin que la bonté aveuglait parfois, c'était qu'il croyait que la nature humaine était perfectible. Il avait étudié avec le prestigieux docteur Charcot, juste avant que celui-ci ne disparaisse. Il avait poursuivi des études passionnées avec Duchenne, qui recommandait la compréhension, alors que les autres patriciens inclinaient à la douche glacée et aux chaînes pour guérir les récalcitrants. Marcel Chaignier avait profité d'un instant d'inattention pour s'évader, et avait erré dans les bois. Il était persuadé que les traits de lumière venant du ciel lui étaient destinés, et que le « plairome » – c'est ainsi qu'il qualifiait l'Éden – l'attendait. On l'avait cru incapable d'une méchanceté, mais il avait égorgé une brebis, puis mangé un hérisson. À n'en pas douter, il était fou.

Alice le regarda à travers l'œilleton de la cellule. Il était agité, mais ne semblait pas dangereux. Si c'était lui le coupable, il n'en donnait pas l'impression. Elle referma l'œilleton et revint vers la grande salle, où l'attendaient Beliveau et Frassetto. Celui-ci la prit par le bras.

– Allons déjeuner, Alice.

Il l'emmena dans une petite gargote, une auberge qui se trouvait sur la route, à la sortie du village. Là, dans un resserrement montagneux qui menait à un col, il y avait une bâtisse en pierre dure qui datait, sans doute, du siècle précédent. Plus personne n'y dormait, mais les omelettes étaient fameuses. Ils s'installèrent sur la terrasse. Le patron, un gros homme qui vint prendre la commande en s'essuyant les mains, était un peu rêveur. Les prenant pour un couple d'amants en escapade, il leur parla des anémones de montagne, des bouquetins égarés, des nuits constellées d'étoiles. Ils avaient faim. Quand le bonhomme commença à décrire les enchantements du solstice, Frassetto le coupa gentiment.

– On peut manger, chez vous ?

Un torrent, non loin, bondissait de rocher en rocher. Frassetto émietta du pain, versa un verre de vin râpeux, et se mit à penser tout haut.

– C'est à n'y rien comprendre. Mireille Laborde, Alexis Cortès, une cave bizarre et un refuge de berger où l'on trouve des organes humains... Mais il faut être un monstre !

Alice, qui n'avait jamais participé à une enquête sur le terrain, était partagée entre le plaisir d'être en première ligne et l'horreur suscitée par des actes aussi barbares. De son bureau, habituellement, il lui était facile de taper les rapports, d'écouter les récits, d'imaginer les crimes. Mais rien ne l'avait préparée à cette folie, à ce sang. Elle tenta de changer le cours de ses pensées. Barnabé... La voix de Frassetto la surprit :

– Oh, petite, tu penses à ton fiancé ?

Frassetto avait un sourire ironique. Elle demanda :

– Comment vous avez deviné ?

– Ah, bon sang de bois, je le connais, l'animal !

Il évoqua la guerre, laissant de côté les détails affreux, la mort des copains dans les tranchées, les rats, la misère. Pour lui, Barnabé était un étrange personnage, un hors-venu.

– Nom d'un petit bonhomme, c'est un solitaire, Barnabé ! Il s'en est sorti en devenant un soldat de première force, il a même fait partie de la brigade du capitaine Conan, tu sais, les gars qui se glissaient derrière les lignes pour égorger des boches avec des évidoirs, avec des cordes de piano... Quand la guerre s'est terminée pour tous, elle ne s'est pas achevée pour lui. Non. Elle est restée dans sa tête.

Le soleil chauffait. Il enleva sa veste et, voyant l'aubergiste apporter le plat, mit sa serviette autour du cou.

– Après, tu vois, chacun fait comme il peut. Moi, je me suis marié, j'ai des enfants, ça va. Mais Barnabé, lui, il a replongé dans l'alcool, le jeu, tout ça. En fait, je ne sais pas si je dois te le dire...

– Allez-y. Allez-y...

– ... avant la guerre il était tombé amoureux d'une femme, une Russe. Elle est morte en couches.

– Et l'enfant ?

– Je ne sais pas, il n'en parle jamais. D'ailleurs, j'ai appris cela par la bande, lui, il ne dit rien. C'est un tombeau. Il a mal vécu ce drame. C'est après ça qu'il est devenu alcoolique. Je ne suis pas sûr qu'il s'en soit sorti.

– Parlez-moi de la femme...

– Je ne sais rien. D'ailleurs, ça ne m'intéresse guère. Ce qui m'intéresse, c'est Barnabé. On n'a pas besoin de se parler pour se connaître. C'est comme dans les tranchées, là-bas, on survivait parce qu'on comprenait le coup d'œil du copain, pas en lui disant des mots. Et combien de fois on a été tentés par l'idée de tuer nos gradés ? Ces salauds qui restaient au chaud, avec des jambières en cuir ciré, tandis que nous, on se faisait crever la paillasse...

Une mouche vint se poser sur l'omelette. Alice la chassa d'un revers de main. Il régnait un été agréable et, dans une journée comme celle-ci, on aurait pu croire que tous les hommes étaient frères. Illusion... Frassetto se mit à pester contre le défaut d'effectifs, contre la hiérarchie, contre la faiblesse de l'État.

– On manque de tout, c'est honteux. On se débrouille, mais... Les politiciens, ils se rendent pas compte. Pour un voleur de pain, on doit remplir trois formulaires, et le gars risque le bagne. Pour un escroc de haut vol, c'est plus simple : il arrose tout le monde et s'en sort. Dégueulasse... Dis-moi, tu l'aimes, ton bonhomme, hein ?

Alice s'essuya la bouche et rougit. Elle ne savait quoi répondre.

– Oui. Je crois.

– Alors, un conseil. Vas-y doucement. Ne l'effarouche pas.

Un chevreuil passa, dressant sa petite queue blanche. Les voyant, il s'arrêta un instant, sembla photographier la scène, et disparut. Une voiture approchait, masquant un instant le mont Blanc. Elle s'arrêta devant l'auberge. L'inspecteur Bon en descendit.

— Il faut venir, chef.

— Attends, attends, on finit de manger.

Il sauçait son assiette à grands gestes, avec des morceaux de pain qu'il arrachait à la miche déposée par l'aubergiste. Connaissant son patron, sachant qu'il ne servait à rien de le brusquer, Bon prit une chaise, s'assit à califourchon, et posa son menton sur l'accoudoir.

— Tu veux un verre de vin ? demanda Frassetto.

— Il est à peu près imbuvable, dit Alice.

Ils finirent leur plat, payèrent. Frassetto remit sa veste. Alice regarda le soleil passer au-dessus des crêtes. Elle voyait le chevreuil, là-haut, qui grimpait vers les pâturages. Elle se tourna vers les deux hommes :

— Vous savez, le fou, là, Chaignier, il n'est pas coupable, j'en suis sûre. C'est un dément, mais pas un tueur.

Bon intervint.

— Elle n'a peut-être pas tort. Barnabé vient d'envoyer un petit bleu. Il dit de demander à Chaignier s'il connaît un macareux.

— Ça veut dire quoi, ça ? demanda Frassetto.

— Sais pas. C'est peut-être un gars qui fait des gâteaux.

Ils montèrent dans la voiture, et l'aubergiste, resté seul, but le reste de la carafe de vin en se balançant sur une chaise.

*
**

Barnabé était rentré chez lui. Il avait l'impression de marcher dans un marécage, s'engluant à chaque pas. Il avait enlevé sa veste, ouvert le col de sa chemise, et, bretelles pendantes, s'était aspergé le visage d'eau fraîche prise au robinet. Il avait ouvert la fenêtre et, pieds nus, s'était assis dans l'unique fauteuil de l'appartement. Depuis le départ de Marinette, celui-ci était en désordre. Le lit, défait, semblait abandonné. Quelques chemises, posées à même le sol, attendaient que la concierge veuille bien les emporter à la laverie. Barnabé alluma une cigarette. Une bouteille de fine posée à côté de lui, il s'efforça de mettre de l'ordre dans ses pensées.

Le soir tombait. On entendait une musique, provenant d'une petite place, un peu plus loin. Il but une gorgée, au goulot, tandis que la tristesse l'envahissait. Il revoyait le visage d'Eleanora, dans la grisaille du soir. Il revivait son accouchement... Il était donc père ? Il préféra boire encore, avant que la culpabilité ne se mette à le ronger, à nouveau.

Il fit tomber les cendres de sa cigarette sur le sol. Ses pieds lui faisaient mal, la solitude lui pesait et, en même temps, lui plaisait. Il se demanda ce que faisait Gino : aux dernières nouvelles, il avait une piste intéressante, au Jockey. Il lui avait parlé d'un certain Louis Bert, compagnon actuel de Jeanne d'Arcy. Jahandier, lui, continuait, avec ses deux acolytes, à suivre Laurent Berry. Jeanne d'Arcy n'avait pas réapparu. Curieusement, Barnabé sentait qu'il y avait un point central dans cette affaire, une clé de sol qui réglait toute la partition. Mais il n'arrivait pas à mettre le doigt dessus. Ils avaient manqué quelque chose, ils étaient aveugles. Il se passa la main dans les cheveux, comme il le faisait quand il était dans les tranchées et que le capitaine surveillait sa montre avant de lancer ses hommes à l'attaque. Il était au bord d'une découverte, il en était sûr. Un détail le mettrait sur la piste. Agacé par ce secret qui lui échappait sans cesse, il but encore.

Alice, elle, en était sûre : le fou enfermé à Chamonix n'était pas coupable. Pourtant, ainsi que le soulignait Frassetto, il avait avoué. Et le sinistre laboratoire trouvé derrière le chalet de Cortès semblait indiquer la folie : qui pouvait se livrer à des actes aussi barbares ? Qui aurait pu penser à découper des êtres humains, comme avaient été découpés l'acteur, son épouse Mireille Laborde et cet enfant à naître ?

Barnabé prit une feuille de papier, une chaise, et s'accouda à la petite table de la chambre.

– Voyons... Tout a commencé avec Jeanne d'Arcy.

Il traça un petit carré, inscrivit « J. d'A. » dedans. Suçant le bout de son crayon, il hésita : « Je continue avec quoi ? »

Sur la même ligne, dans un autre carré, il inscrivit « A.C. ». Alexis Cortès avait pris contact avec lui au même moment. En dessous, il fit une flèche vers « M.L. », Mireille Laborde.

Il reprit la lignée. Sous celle-ci, il inscrivit : « L.B. », Louis Bert. En face, à la même hauteur, il traça les lettres « L.B. » aussi. Mais c'était pour Laurent Berry.

Il prit une autre feuille, et reconstitua l'enchaînement des évènements. C'est en allant voir Roussel qu'il avait été victime d'une tentative d'assassinat. C'est en enquêtant sur cette affaire que Gino était tombé sur la piste de Hayotte, le faux-monnayeur, et du conseiller Prince. Jusqu'où allait mener cette piste ?

De l'autre côté, il y avait un coupable possible, évident : Laurent Berry. Mais il ne pouvait avoir assassiné Mireille Laborde, se trouvant ailleurs au moment du crime. À moins d'être doué d'ubiquité... Et qui était le mystérieux Louis Bert, dont Gino avait trouvé le poème au Jockey, cette histoire de macareux ? Il avait lui-même reçu un poème où il était question de ce genre de pingouin. Et l'assassin de la Loustiquette avait laissé un dessin de macareux.... Il y avait aussi Chaignier le fou...

– En somme, j'ai trop de suspects. Il va falloir faire un tri là-dedans, dit-il à voix haute.

Il reprit les deux feuilles. Il traça un carré au-dessus de Jeanne d'Arcy et d'Alexis Cortès. Ce carré, vide, planait comme une divinité inconnue au-dessus de tous les acteurs du drame. Barnabé y mit un point d'interrogation. Celui qui tirait les ficelles était encore inconnu.

Le commissaire avait chaud. Il se leva, s'accouda au balcon de sa fenêtre. Il fallait bien se l'avouer : Alice lui manquait. Cette nuit passée à la montagne avait dénoué quelque chose, mais son passé lui pesait. Il aurait eu envie de purger les jours anciens, de se faire une mémoire neuve. Oublier l'après-guerre, ne vivre que dans l'immédiat. Il releva ses bretelles, remit ses chaussettes et ses chaussures, enfila sa veste et, le panama à la main, descendit dans la rue.

Ses pas le portèrent vers Barbès, et sa fête foraine permanente. L'alcool lui chauffait les tempes. Quand il arriva devant les manèges, il regarda longuement les enfants. Peut-être que son fils ou sa fille avait connu les mêmes plaisirs ? Il n'en savait rien. Un gnome à chapeau claque l'invita à admirer la femme à barbe. Il passa son chemin. Un jongleur jetait des assiettes en l'air, un avaleur de sabres engloutissait cinq litres d'eau avant de s'enfiler une lame d'un mètre de long dans le gosier. Les forains criaient, les badauds tiraient sur des cibles, des filles renversaient la tête pour se laisser embrasser sous les lampions. Une odeur de sueur et d'acétylène noyait tout. Une gamine, avec une barbe à papa, se cogna à son coude, puis repartit en léchant ses doigts.

Barnabé s'installa à une petite table, commanda une portion de frites et un bock. La serveuse, joyeuse et fatiguée, avait de jolis yeux cernés. La bière était bien fraîche. Il mangea ses frites en souriant : le cracheur de feu le menaçait.

– J'vais t' rôtir, l'bourgeois !

Barnabé lui allongea une pièce. Il finit son bock. Tout ce bruit, cette agitation, lui montaient à la tête. Ou alors, c'était la fine. Peut-être y avait-il un dieu bienfaisant qui, parfois, regardant les dégâts qu'il avait faits sur Terre, se reprenait, et jetait des paillettes de bonheur, comme ce soir, sur Paris... Mais peut-être ce dieu était-il aussi malfaisant, guidant les gens vers la catastrophe, vers des meurtres et des éviscérations ? Quoi qu'il en soit, bon ou mauvais, ce dieu voyait tout, savait tout. Nul doute.

Barnabé se leva, repoussa son panama sur la nuque et, lentement, rentra chez lui. Il avait envie

217

qu'Alice revienne. Il aurait aimé l'embrasser dans le cou.

Il monta les étages, chercha ses clés, ouvrit sa porte et vit que les deux feuilles de papier de ses recherches, soulevées par un courant d'air, s'envolaient. Il ferma la porte, et prit les deux feuilles. Sur la première, dans le carré vide, il gomma le point d'interrogation. Il le remplaça par un nom : Stavisky.

Sa veste sentait la frite. Il la suspendit, et s'endormit tout habillé.

– CHAPITRE 16 –

Pierre Calucci, dit Pierrot-belle-chemise, était ennuyé. Son cheptel avait sérieusement diminué. Après la mort de la Loustiquette, saignée par un malfaisant, Pierrot avait eu une véritable grève sur les bras. L'Édredonneuse avait été invitée à passer quelque temps à la prison des femmes, rue du Cherche-Midi. Les autres filles, Bubu-Bouche-d'Or, Momiche et Bonne-Cuisse, avaient exigé de changer de coin. Elles ne voulaient plus travailler rue de la Gaîté, où rôdait un surineur. Plutôt que de souffrir une perte de prestige, qui aurait signé son arrêt de mort dans le milieu des macs, Pierrot avait préféré céder ces dames à un concurrent, contre monnaie sonnante et trébuchante. Elles avaient été mises au travail immédiatement en maison d'abattage rue Saint-Denis, histoire de prendre de bonnes manières. C'est vrai, quoi, on ne peut pas laisser les employés diriger la maison, ou les fous, l'asile.

Il déambulait boulevard des Capucines. Il était hors de son bocal, Pierrot, mais il savait que c'était là, en remontant vers la gare Saint-Lazare, qu'on trouvait de la chair fraîche : jeunes bonniches débarquées de Normandie, fiancées à soldats égarées dans la grande ville, bourgeoises engluées dans des mariages lassants, petites mains des maisons de couture... Tout était bon. Il suffisait de savoir y faire. Sapé comme un milord, les manchettes éblouissantes avec des boutons en vermeil incrustés d'un petit diamant, le melon crânement penché sur l'oreille, les cheveux soigneusement plaqués sous une belle couche de gomina – il avait utilisé l'excédent pour lisser sa moustache –, Pierrot regardait autour de lui, cherchant le bon gibier, la poulette qui lui tomberait dans les bras.

Vrai, il ne s'en remettait pas, du sale coup. La Loustiquette égorgée ! Comme ça ! Disparue ! Sa meilleure gagneuse... Il essuya une larme furtive et, le bambou entre les doigts, imita de son mieux le boulevardier en goguette. Les terrasses des cafés étaient noires de monde : des élégantes en chapeau cloche, des maris fumant le cigare, des garçons empressés qui servaient des sorbets, des marchands de journaux vendant leur camelote à la criée... Il aimait cette ambiance. Il ne s'aventurait que rarement en dehors de Montparnasse, en vérité. Quand il était arrivé de Bonifacio, des cousins corses l'avaient pris en main. Son père, Albertulu Calucci dit « le Brillant », avait été, disait-on, bandit d'honneur avant de prendre un petit restaurant, et d'y faire ses affaires. Gamin, Parsius (prénom transformé plus tard en Pierre) se promenait souvent, la main dans la main, avec Albertulu, qui lui montrait les lumières dans la montagne surplombant Bonifacio, et lui disait :

– L'honneur, Parsius, c'est comme les feux, là, que tu vois. Quand c'est éteint, c'est éteint. Il faut le garder allumé.

Moyennant quoi, son père l'avait éduqué en lui inculquant le respect de la parole donnée, l'horreur des mathématiques, la vénération des mères et des vierges (mais pas des autres femmes), la défiance de l'autorité, la haine de l'uniforme, le goût du saucisson sec et l'éloge de la paresse. Parsius en avait tiré la conclusion qu'être un homme, c'était ne rien faire. Il s'accommodait assez bien de cette morale, qui le mena rapidement vers le maquereautage, seule profession lui permettant de se lever tard et de sacrifier à son goût des beaux boutons de manchette. Il n'aimait pas tellement les autres bijoux. Les bagues, c'était pour les petits jésus, les invertis ; les chaînes allaient bien aux nouveaux riches ; les gourmettes, franchement, faisaient tape-à-l'œil. Non, le seul beau bijou qu'un homme pouvait se permettre, c'était le bouton de manchette. Avec, parfois, une belle perle sur la cravate, dans certaines circonstances. Le problème, c'est qu'il fallait avoir de belles chemises. Un cousin corse s'occupait de lui en fournir, car des chargements s'égaraient régulièrement dans les docks des Chemins de fer Sud et se retrouvaient, non moins régulièrement, dans le magasin dudit cousin. Bref, la vie était bien organisée et le hasard, favorable.

Il repensa à ce poulaga, ce policier, Gino Antonioni. Il avait fait relâcher l'Édredonneuse, ce qui était sympathique. Du coup, le seul gagne-pain de Pierrot avait pris du galon : l'Édredonneuse était devenue la favorite. Forcément, puisqu'il n'y en avait plus d'autres. Elle espérait garder ce statut plus tard. On verrait. Il ne faut pas les laisser se faire des illusions, quand même. Mais, du coup, Pierrot était devenu l'obligé de Gino. Ils partageaient une même origine méditerranéenne, et ça voulait dire quelque chose. Quand ils s'étaient secrètement vus, Gino lui avait assuré que le coupable du meurtre de la Loustiquette n'irait pas loin. Il y veillerait personnellement, parole d'homme. En échange, tout tuyau sur les activités de la rue de la Gaîté serait le bienvenu. Les manigances de Hayotte, les visites éventuelles de Prince, tout ce qui pouvait intéresser la Grande Maison, Pierrot était censé le rapporter. Mais voilà : Belle-Chemise était pris entre deux feux ; d'une part, dans son milieu, on ne balançait pas ; d'autre part, il y avait dette. Pierrot avait résolu la contradiction en balançant, mais discrètement. Il faisait donc de la dialectique sans le savoir.

Du coin de l'œil, il vit une jolie fille qui, le genou levé, fouillait dans son sac à la recherche d'une chose qu'elle ne trouvait pas. La poitrine avantageuse, le teint frais, la cheville bien dessinée, tout indiquait une jeunesse appétissante. Le nez en trompette et les taches de son sur les joues n'étaient pas faits pour lui déplaire. Mais les chaussures, éculées, indiquaient un état économique désastreux. D'un geste de poignet, il fit jaillir ses manchettes et s'avança, touchant son chapeau.

– Vous avez perdu quelque chose, mademoiselle ? Pas votre sourire, j'espère.

La réplique faisait partie de son répertoire. La fille le regarda, un peu interloquée, prête à fondre en larmes.

– Je... Je ne vous connais pas, monsieur.

– Pierre Calucci, mademoiselle, pour vous servir. J'ai vu votre détresse, mademoiselle, et je me suis dit...

– C'est que... J'ai perdu mes clés. Ma patronne va me gronder. Je risque de perdre ma place... Je...

– Calmez-vous. Je vais vous aider.

Armaelle était bonne à tout faire chez un couple de bourgeois, rue de la Chaussée-d'Antin. Monsieur travaillait dans une officine de la Bourse et madame ne faisait rien, sinon quereller le petit personnel. Ils avaient deux filles sèches en âge de se marier, mais, hélas, la dot n'était pas à la hauteur des prétentions. Si l'aînée jouait un peu de piano et touchait à la cuisine, son physique de virago la trahissait : c'était en effet une virago. Quant à la plus jeune, franchement, à dix-huit ans, elle était plus velue qu'un orang-outang.

Pierrot écouta ces doléances avec compréhension. Dans le trois pièces de la Chaussée-d'Antin, il le sentait, la vie devait être impossible. Madame économisait sur les croûtons de pain, monsieur se taisait et lisait le journal aux toilettes. Les filles piaillaient. Armaelle, petite Bretonne arrivée l'année précédente de Plougonvelin, n'en pouvait plus. Elle avait dix-sept ans, sa famille vivait dans une misère noire là-bas, entre le carré de patates et les deux cochons élevés à grands frais. Et voilà : sortie pour faire des courses, elle avait perdu la clé de l'appartement. Elle en sanglotait.

– Vous n'imaginez pas...

– Si, si...

Il l'invita à prendre un rafraîchissement, dans un joli petit café discret de la rue Meyerbeer. Cette rue, qui partait de l'avenue de l'Opéra et venait mourir Chaussée-d'Antin, avait l'avantage d'être minuscule, et deux débits de boissons joliment décorés étaient tenus par des cousins. Le premier café servait de rendez-vous à des échangistes, l'autre à des rencontres discrètes pour des couples adultères. Dans ce dernier, de petites lampes offraient un éclairage complice et creusaient une obscurité agréable autour des attablés. Pierrot poussa la porte, enleva son chapeau, et fit entrer Armaelle. Ils allaient arranger ça, lui assura-t-il. Il prenait les choses en main. Il fit signe à Sampieru, son cousin, qui arriva avec le sourire.

– Bien le bonjour, cousin. Une table agréable, hein ?

– Bien sûr, Parsius. Pour toi, hé, le meilleur.

Il s'avança, menant le couple vers le fond de la salle, là où d'étroites banquettes de velours permettaient de se faire face, dans des box douillets. Sampieru claqua des doigts en passant devant le bar, et une bouteille de champagne apparut. Armaelle commençait à se consoler. Elle n'était peut-être pas la petite oie blanche qu'il avait pensé, après tout. Les choses allaient être faciles. Et agréables.

En s'asseyant, Pierrot-belle-chemise jeta un coup d'œil circulaire, un vieux réflexe de prudence. Il vit, à un box du sien, un couple qui se tenait les mains. Il reconnut instantanément la femme, qui passait parfois rue de la Gaîté, et disparaissait dans l'immeuble où officiait Hayotte. De plus, elle avait sa photo dans les journaux : Arlette Stavisky n'était pas une inconnue.

Mais qui était le jeune homme qui lui baisait le bout des doigts ? Pierrot l'avait vu, ce visage lui était familier. Mais, par la Madone, où ?

– J'adore le champagne.

Armaelle partit d'un petit rire, déjà dans son rôle de fille de joie.

*
**

Le conseiller Prince sentait que l'affaire était mauvaise, que l'étau se resserrait. Des forces occultes étaient en œuvre pour le perdre. On lui avait demandé de ne pas s'occuper de l'affaire Stavisky, d'enterrer le dossier, ce qu'il avait fait. Mais maintenant, on le lui reprochait, et il refusait de jouer le rôle de bouc émissaire. Depuis deux semaines, il prenait des mesures. La fièvre que l'affaire Stavisky avait déclenchée l'agaçait. Le procureur, Georges Pressard, semblait le désigner comme unique responsable de l'inaction de la justice. Il ne restait à Prince qu'à prouver le contraire. D'autant plus que, si l'on découvrait ses relations coupables avec Arlette Stavisky, il y allait de sa tête...

Quelques jours plus tôt, il avait déclaré : « Je veux soulager ma conscience » à Lescouvé, premier président de la Cour de cassation... Quand celui-ci lui avait demandé ce qu'il voulait dire, Prince avait affirmé qu'il avait montré au procureur le dossier Hudelo, qui accablait Stavisky.

– Rédigez-moi un rapport !

Lescouvé, depuis, attendait ce rapport.

Après cette entrevue, Prince avait retrouvé Caujolle, le comptable chargé d'examiner l'escroquerie du Crédit de Bayonne, qu'il avait chiffrée. Ensemble, ils avaient pris un verre au café de Flore.

– Pressard a menti à la Haute Cour, dit-il. Il sait que le dossier est remonté jusqu'au garde des Sceaux !

– Il a sans doute oublié.

– Non. C'est une amnésie sur commande ! Le

procureur Pressard sait très bien que je dénonçais alors Stavisky comme un escroc dangereux et notoire !

– Vous avez des preuves ?

– J'ai les documents, oui. Pouvez-vous les photographier, quand vous serez à la préfecture ?

– Bien sûr.

– Je vous les apporte demain. Et demain, je remets le rapport à Lescouvé.

Or, le lendemain, Caujolle n'avait rien vu venir. Le conseiller Prince s'était ravisé. De lourdes pressions et quelques menaces plus précises l'avaient décidé à remettre à plus tard l'explosion de cette bombe. Il crut même bon de prendre quelques jours de repos. Se faire oublier un peu lui permettrait d'affiner sa stratégie de défense.

Il ignorait, bien sûr, qu'on ne lui laisserait pas le temps d'aller plus loin...

– CHAPITRE 17 –

Barnabé replia les journaux. On ne parlait plus que de l'affaire Stavisky. Assis devant lui, Gino et Jahandier avaient l'air ennuyés. Jahandier, surtout, qui plissait le front, visiblement agacé. Barnabé laissa tomber :

– Quelle tempête ! C'est fou. On interpelle le gouvernement à la Chambre sur les pots-de-vin distribués par Stavisky, on parle de corruption en haut lieu, on évoque des personnalités sans prendre la moindre précaution...

Gino faisait semblant d'examiner sa canne. Barnabé reprit :

– Cette affaire va nous empoisonner, je le sens. Essayons de rester en marge. Alors, quelles nouvelles m'apportez-vous, messieurs ?

Il régnait dans le bureau de Barnabé une grisaille que certains attribuaient à la poussière des dossiers, d'autres à l'ennui distillé par l'administration française. Dans les étages supérieurs, quelques plantes ornaient le bureau du divisionnaire Gripois, et la vie y était plus facile : le téléphone fonctionnait mieux. Il est vrai que le sous-préfet n'hésitait pas à faire parvenir régulièrement les consignes du gouvernement, sans compter les remarques que pouvait faire le directeur de la police. Quand Gripois transmettait les directives à Barnabé, celui-ci s'efforçait de n'en tenir aucun compte. C'était la règle.

Jahandier releva le menton :

– Patron...

– Oui, Jahandier, je sais.

– Vous savez ?

– Bien sûr. Il suffit de vous regarder. Vous l'avez perdu.

– Nom de nom... Mais comment... ?

– C'est évident. Laurent Berry vous a repéré. Depuis quelques jours, après notre visite, il a consenti à vous promener, vous et vos hommes, dans Paris, histoire de nous prouver qu'il n'a rien à cacher. Puis il en a eu assez. Et pfffft, plus de bonhomme. C'est ça ?

– Oui, patron.

Jahandier enleva sa casquette, la posa sur un genou et, contrarié, raconta :

– On le suivait tranquillement à la Madeleine, avec Robitaille. Il a été prier à l'église, et après, il est allé rue Godot-de-Mauroy, pour acheter des pâtes de fruits chez Dazet. On a vérifié : à livrer avenue Mozart, chez Alexis Cortès.

– On dirait que notre homme s'installe, non ?

– Avenue Mozart ? Oui. Il y est à demeure, maintenant.

– Rien de louche, Jahandier ?

– À première vue, non. Je continue : il est passé par la rue de Boudreau, en se promenant...

– Une toute petite rue. Impossible de filer qui que ce soit, là-dedans...

– Oui. Mais Robitaille l'attendait à l'autre bout, avec sa bicyclette. Et là, il est arrivé sur les marches de l'Opéra. Il y est entré avec des touristes, des visiteurs. On ne l'a pas vu ressortir.

– Évidemment, il y a mille sorties. Vous avez au moins pu repérer laquelle il a utilisée ?

– On s'est renseigné, patron. Le planton qui garde l'entrée côté rue Meyerbeer a vu un gars qui lui ressemblait.

– Bon, c'est déjà ça.

– Vous savez, on a fait de notre mieux.

– Je sais, Jahandier, je sais. Mais tant qu'on ne nous donnera pas de moyens supplémentaires...

Barnabé alluma une cigarette, pivotant sur son fauteuil en bois. Il tendit la main vers un meuble constitué d'une cinquantaine de tiroirs, portant chacun une étiquette. Il ouvrit le casier « Se-Th », qui désignait les dossiers allant de « Seitaz », célèbre criminel des années vingt, à « Théophraste », empoisonneur de chevaux. Se penchant, il en tira la chemise « Stavisky ». Là, Berthier avait rassemblé tous les éléments que l'équipe avait glanés, et où, sans surprise, les noms d'Alexis Cortès et de Laurent Berry apparaissaient. Ceux-ci faisaient partie de la cour de l'empereur Alexandre. Barnabé laissa tomber le dossier sur son bureau, donna du poing et dit à Jahandier :

– Bon, restez à disposition. En attendant, faites votre rapport.

– Bien, patron.

Resté seul avec Gino, il l'observa une minute, notant le nouveau costume gris perle, et constata :

– C'est Stavisky qu'il nous faut.

229

Gino posa sa canne, se renversa sur sa chaise et, croisant les deux mains derrière la nuque, affirma :

– Oui. Il est au centre de l'affaire. Mais comment ? Pourquoi ? Nous ne sommes pas les seuls à nous y intéresser.

– Qu'est-ce que tu penses, Gino ?

– Moi ? Je ne pense pas, chef, je trouve. Regardez.

Il sortit d'une pochette posée à même le sol quelques papiers, et les tendit à Barnabé. Celui-ci se mit à les lire. Peu à peu, la stupéfaction se peignait sur son visage.

– Mais comment... ?

– C'est simple, patron. Laissez-moi vous raconter.

Pierrot-belle-chemise, assis devant Gino, était mal à l'aise. Dans ce bistrot de banlieue où nul ne le connaissait, il était assuré de ne rencontrer personne. Mais on ne savait jamais : un repris de justice égaré, une fille qui aurait changé de quartier, on n'était jamais à l'abri d'une mauvaise rencontre. Assis dans l'arrière-salle devant une anisette douteuse, les deux hommes faisaient semblant de jouer aux cartes : un jeu d'écarté était étalé devant eux, sur un petit tapis vert. Gino avait sorti son fume-cigarette en ivoire, et chassait la fumée d'un revers de main gantée. On entendait vaguement, dehors, un accordéon qui jouait une valse chaloupée.

– Ça vaut pas Charles Trenet, hein, m'sieur Gino ?

– Non, pour sûr.

Gino observait son interlocuteur, constatant avec étonnement à quel point le sens de l'élégance suivait parfois des règles différentes. Pierrot avait mis une chemise rayée à gros traits, bleue et blanche, et son gilet, en damas mauve, s'ornait d'une chaîne de montre assez discrète. Le veston, pincé à la taille, avec une martingale derrière, était à revers fins, et les basques s'abattaient sur un pantalon clair dont la couleur tirait sur le jaune. Là-dessus, des gants beurre frais à grosses coutures, et notre homme avait l'air de ce qu'il était : un hareng vêtu avec un soin particulier. Quant aux boutons de manchette, ils étaient aussi discrets qu'un feu de brousse : une pierre rouge incrustée dans un soleil en or jetait des éclats impossibles à éviter. Pierrot reprit :

— Encore merci, pour l'Édredonneuse. Sans elle, j'aurais eu du mal.

— Pas de quoi. Tu sais, Pierrot, on est entre hommes. Eh bien je vais te dire : je sais ce que c'est. Les femmes, on en revient toujours.

— Ah çà, vous parlez d'or ! Mais bon, je voulais vous dire...

— Oui ?

— Ça reste entre nous, nos affaires, hein ?

— Puisque je te le dis.

— Bon, alors voilà. J'ai du neuf pour vous.

— Vas-y.

— Hier, j'étais en plein travail, du côté du boulevard des Capucines. Il faut renouveler le cheptel, et là, y a pas à dire, faut donner de sa personne.

— C'est sûr.

— Donc, je repère une petite bonne qui a perdu sa clé, je me propose pour lui rendre service, je fais le gentleman, quoi, faut être à la hauteur. Elle vient

231

de Bretagne, mignonne, des taches de rousseur sur le nez, y a des clients pour ça, mais elle a des chaussures fatiguées. Je me dis : « Pierrot, en voilà une qui a besoin de se saper un peu. » Vous me connaissez, m'sieur Gino, le cœur parle, quoi, on peut pas laisser la fille comme ça. Donc, on bavarde, je lui promets de lui acheter des chaussures, elle est contente, mais elle va perdre sa place, chez des bourgeois de la Chaussée-d'Antin, des rats. Elle pleure presque, malgré les chaussures. Je lui dis que je vais arranger ça, mais qu'il faut qu'on réfléchisse à tête reposée. « On va boire un verre ? » je fais. « Oui » qu'elle me dit.

— Bon, Pierrot, au fait.

— J'arrive, j'arrive, m'sieur Gino. Comme qui dirait nous voilà dans un petit rade tenu par un mien cousin, un bar tout ce qu'il y a de plus intime, pour les petits à-côtés des bourgeoises. Sampieru – c'est mon cousin – nous fait asseoir au fond. Et là, en passant, qu'est-ce que je vois ?

— Qu'est-ce que tu vois ?

— Madame Stavisky. Je la reconnais. Parce que autrefois, avant qu'elle travaille chez Chanel, elle a travaillé pour un autre cousin à moi, Venturu. Elle était en maison, une bonne gagneuse, avec ça. Puis elle a rencontré un gars qui lui a présenté mademoiselle Chanel, elle a plu, et elle est restée. Venturu y a perdu, mais il pouvait pas demander des sous à Coco Chanel, hein ?

— C'est sûr.

— Bon, quand je vois qu'Arlette est avec un jeune gars, je me dis : « C'est pas catholique. » Le gars, je l'ai déjà vu je ne sais où, mais je ne sais pas qui c'est. Ils se tiennent les mains, ils ont l'air de se raconter la vie de Jésus, et je fais signe à Sampieru. « Sampieru, je lui dis, essaie de voir ce qu'ils disent, ces deux-là », et je vais me rasseoir. Et voilà mon cousin qui passe, qui repasse, qui pose une bouteille de champagne chez l'un, change le cendrier chez l'autre, allume la cigarette de la dame, remet des glaçons dans le seau, passe un coup de torchon sur une autre table, vérifie une ampoule... Il entend tout. Plus tard, quand je suis sur le point de sortir, sans payer – c'est mon cousin –, il me dit : « Ils parlent de documents et d'un gars nommé Pressard. Il doit apporter les documents demain pour mettre au coffre d'une banque. Voilà, c'est tout. » Je dis c'est bien, cousin, et je vaque à mes affaires. Voilà.

– Une banque ? Tu sais laquelle ?

– Non, parole. Mais ils avaient l'air très intéressés, ils les voulaient, les documents.

– Pressard, hein ?

– Oui.

Gino but une gorgée d'anisette qui lui tordit l'estomac. Il regarda Pierrot.

– Tu me racontes pas d'histoires, hein ? Il t'en coûterait.

– Oh, parole, m'sieur Gino. Je vous dois. Je sais me conduire, quand même.

– Bon, bon. Et la fille ?

– La fille ?

– Qui avait perdu ses clés ?

– Oh ben, elle est installée chez moi, maintenant. Je la mets au travail dans une semaine. Elle a de l'allant.

Barnabé écoutait. De temps en temps, il compulsait les dossiers, avec un air d'émerveillement. Il reprit :

– Ça explique comment tu as su où étaient les dossiers. Pas comment tu les as eus.

– Attendez, j'y arrive, patron.

Gino enleva ses gants. Il faisait durer le suspense. Le gamin de Naples qu'il avait été n'était jamais loin, en lui. Barnabé admirait chez son adjoint ce mélange de débrouillardise et d'alacrité. Gino était l'homme des décisions rapides, des actions en dehors de la loi, et des coups de sang. Il lui arrivait de faire des choses peu recommandables. Passer un homme au fil de sa canne-épée, par exemple. Il continua :

– Voilà, patron. Donc, j'ai l'information. Mon problème, maintenant, c'est d'avoir le dossier...

Le procureur Pressard n'avait pas de temps à perdre. Le conseiller Prince, même s'il se taisait depuis quelques jours, avait rué dans les brancards, Pressard était bien renseigné. Les députés de l'opposition s'agitaient, les journaux se montraient de plus en plus bavards, les sénateurs cherchaient à surnager, certains ministres envisageaient de partir à l'étranger. Baron, le chef adjoint du cabinet du ministre du Commerce, avait écrit une lettre ouverte au ministre ; Daladier, ex-président du Conseil, était menacé ; Dommange, député de Paris, réclamait des sanctions exemplaires ; Thomé, le directeur de la Sûreté générale, qui avait négligé de transmettre les renseignements qu'il avait sur

Stavisky, était malmené ; le général Bardi de Fourtou, l'homme à tout faire de Stavisky, téléphonait dans tous les coins de Paris, et Grébaud, le juge d'instruction, jurait ses grands dieux qu'il ne connaissait pas Hayotte, avec lequel on l'avait vu mille fois. Toutes ces plaintes, ces pressions, cette agitation gagnaient les hautes sphères de l'État. On avait l'impression d'un poulailler en pleine débandade : Stavisky avait distribué des prébendes, des chèques, des actions, des bijoux, à tout le monde. On le recherchait. Mais évidemment, on préférait ne pas le trouver.

Prévenu par les Frères, tenu au silence par son vœu d'obéissance au Grand Orient, Pressard, qui était le beau-frère de Camille Chautemps, le président du Conseil, savait comment mettre un terme à l'affaire, au moins en ce qui le concernait. Il avait appris que Prince envisageait d'aller « soulager sa conscience » auprès du premier président de la Cour de cassation et exposer publiquement le rôle qu'avaient joué certains Frères. On ne pouvait le laisser faire. Les deux lettres qu'il allait remettre au comptable Caujolle, le dossier qu'il avait compilé, risquaient de mettre en péril la République. On s'occupa de subtiliser ces documents. Une main inconnue – mais amie – les avait remis au procureur Pressard, et on lui avait enjoint de garder précieusement ces bagages, qui ne devaient plus voir le jour jusqu'à ce qu'ils soient utiles, on ne savait jamais. Pressard avait décidé de les serrer dans son coffre à la banque.

Il rajusta sa veste, prit sa serviette, une vilaine petite serviette de cuir fermée par deux passants et, quittant son bureau, traversa le Palais de Justice pour sortir, au soleil, sur le boulevard. Il prit à droite, vers Saint-Michel. L'air était léger. La Seine balayée par la brise incitait les amoureux à se promener sur les quais, où plusieurs bateaux-lavoirs se balançaient doucement. De gros taxis noirs, conduits par des ex-grands-ducs russes, roulaient sans précipitation, tandis qu'une carriole menée par un cheval fatigué achevait de livrer les bidons de lait aux épiceries Julien Damoy.

Pressard avait hâte d'arriver. Il pressa le pas : la Banque française du commerce et du patrimoine colonial se situait au coin du boulevard Saint-Germain. Il croisa un groupe d'étudiants qui discutaient âprement de la situation politique. Dans une envolée de grands gestes, l'un d'entre eux, visiblement le plus âgé, tentait de convaincre les autres du bien-fondé de sa vision des choses. Pressard allait les contourner quand l'énergumène, d'un vaste mouvement du bras, fit tomber sa serviette. Dans la bousculade, l'étudiant ramassa l'objet, l'essuya puis, se tournant vers Pressard avec un sourire contrit, il remit la serviette à son propriétaire, en faisant une révérence moqueuse :

– Mille pardons, monseigneur.

Le procureur inclina la tête et reprit son chemin. Curieusement, la bande d'étudiants se dispersa aussitôt.

Pressard, arrivant à la banque, constata que celle-ci était fermée. Elle allait ouvrir dans cinq minutes, la BFCPC était connue pour la ponctualité de ses horaires et l'exactitude de ses comptes. Le procureur, plutôt que d'aller boire un café dans l'un des bistrots avoisinants, préféra attendre devant le portail. À l'heure précise, il pénétra dans l'établissement et demanda à accéder à son coffre. Accompagné par un sous-directeur, il descendit au sous-sol, sortit sa clé, regarda le banquier faire jouer la sienne et, resté seul devant le coffre, il posa sa serviette sur une table et l'ouvrit.

Elle était vide.

Barnabé demanda :

– Mais comment tu as fait ?

– Disons que j'ai mis à contribution certaines relations. Un pickpocket nommé Rodolphe-les-pinceaux me devait une petite faveur.

– Ah ?

– Oui. C'est toujours une erreur, pour un pick-pocket, de s'attaquer à un policier.

– Et c'est une erreur grave que de s'attaquer à un Napolitain.

– Je ne vous le fais pas dire, commissaire.

Devant lui, Barnabé avait les documents les plus recherchés de France, ceux qui accusaient Stavisky, et ceux qui accusaient deux ministres de la République. Il tira sur l'une de ses bretelles, la faisant claquer sur sa poitrine.

– Bon travail, Gino, bon travail.

Il se rajusta, se levant pour sortir. Il glissa les papiers compromettants dans un journal, et posa le tout sur le radiateur. Personne ne chercherait à fouiller là. Plus c'était en vue, mieux c'était caché.

– Maintenant, j'ai un rendez-vous, Gino. Je te laisse.

Alice regarda le quai approcher. Penchée par la fenêtre, elle vit la foule de la gare de Lyon, puis, dans la fumée de la locomotive, elle distingua Barnabé. Avec son panama qui commençait à se salir, elle le reconnut de loin. Les visages défilèrent devant elle, familiers et pourtant inconnus. Quand le train s'immobilisa, elle sauta du marchepied, et se pendit au cou du commissaire :

– Tu m'as manqué, tu sais, dit-elle.

Il rougit. Elle constata que son coup de soleil sur le nez s'était arrangé, qu'il avait l'air en forme, et qu'il pouvait porter sa valise. Elle le prit par le bras et, se dirigeant vers la queue devant la station de taxis, entreprit de raconter les derniers événements. Il la fit taire :

– Pas ici, Alice.

Soudain effrayée, elle regarda autour d'elle. Les écoutait-on ? Il lui sembla que tous ces gens étaient des espions. Elle se contenta de se serrer contre son amoureux. Le trajet fut interminable. En arrivant chez lui, Barnabé ouvrit la porte : Alice mettait les pieds ici pour la première fois. Pour l'occasion, il avait rangé. Un petit bouquet de fleurs ornait la table. Elle jeta un coup d'œil circulaire sur la pièce, qui ne payait pas de mine.

– C'est le Ritz, ici !

Ils se jetèrent sur le lit.

Plus tard, elle fit le point. Frassetto et Bon partageaient son avis : le fou Chaignier n'était pas coupable. Tout le désignait, mais rien ne l'accusait, sinon ses aveux. Elle décrivit le laboratoire souterrain où étaient stockés des organes humains : sans aucun doute, c'était là que Mireille Laborde avait été tuée, éviscérée, et que le fœtus qu'elle portait avait été arraché. Alexis Cortès, forcément, avait subi le même sort. Le fœtus retrouvé dans ses entrailles indiquait que les deux meurtres étaient liés. Frassetto continuait l'enquête sur place, mais il n'y avait rien de nouveau. Maintenant, Frassetto en était convaincu, la clé de l'affaire se trouvait à Paris.

Ils fumèrent une cigarette, les pieds sur la barre d'appui de la fenêtre. Dehors, la nuit s'installait. Barnabé avait l'impression de glisser dans une autre existence, de se dépouiller de l'ancienne comme d'une peau de serpent.

Ils passèrent une nuit d'amour douce, tous deux étonnés de cette nouvelle chance que leur offrait la vie.

Au matin, Barnabé apprit que le divisionnaire Gripois le dessaisissait de l'affaire. Désormais, tout ce qui concernait Stavisky, de près ou de loin, restait entre les mains du ministre. Tout était verrouillé.

– Deuxième partie –

SUIVEZ LA FEMME

– CHAPITRE 18 –

3 JANVIER 1934

C'était une abbaye magnifique. À Sénanque, dans le Vaucluse, les moines cisterciens vivaient depuis le XIIe siècle, cultivant la lavande et communiant avec Dieu dans l'attente du Jugement dernier. Il régnait une quiétude à peine soulignée par les volées de cloches qui, régulièrement, appelaient à la prière. Le confort était sommaire : paillasses pour dormir, bougies pour s'éclairer, pas de chauffage, sauf dans les salles de réunion. Le mois de janvier, en cette année 1934, s'annonçait clair et froid.

Laurent Berry s'était assis sur les marches du porche, et puisait un semblant de chaleur dans la lecture des Actes des apôtres, qu'il avait toujours aimés. Il serra ses poignets entre ses genoux, pour se réchauffer : la robe de bure qu'on lui avait prêtée ne le protégeait guère de la gelée matinale. Un moine vêtu d'une robe noire émergea de l'ombre qui courait le long des arcades du déambulatoire. Le nouveau venu vint s'asseoir auprès de Laurent et, le prenant par le bras, demanda :

– Nous nous demandions où vous étiez passé.

Sous son capuchon, le moine avait le teint cireux :

son visage lisse semblait même translucide. Ses yeux, d'un bleu intense, reflétaient un certain étonnement devant le monde et ses merveilles – ou ses atrocités. Il poursuivit :

– Vous étiez parti vous promener ?

– Je me suis dit que j'allais visiter un peu.

– Vous vous êtes changé les idées, j'espère.

– Certes.

– Parfait. Avez-vous rencontré nos voisins ?

Laurent Berry avait froid. Sa tête bourdonnait, un grelottement gagnait tout son corps. Il rétorqua :

– Je n'ai vu que des rats.

– Les rats ? Ne sont-ils pas beaux, majestueux ?

– Ils sont... de la vermine.

– Non. Ce sont des créatures du Seigneur. Comme nous. Ils possèdent la beauté de la vie, mais aussi sa violence. Vous comprenez ?

– Pour être franc, non.

– Mais la violence, l'horreur, sont en nous. Dieu nous les a inculquées comme toutes choses sur Terre. Nous faisons des guerres, nous pillons, nous tuons, nous déchirons la chair de nos frères, nous laissons leurs cadavres pourrissants sur le champ de bataille... Tout cela pourquoi ? Pour Lui montrer que nous avons retenu Son enseignement.

Le religieux caressa la reliure de la petite bible qu'il tenait dans ses mains. Puis il leva les yeux vers le ciel dégagé et sourit en laissant apparaître des dents jaunes. Il ressemblait à un spectre. Il était lancé.

· – Regardez autour de vous ! Les tremblements de terre, les inondations, les ouragans, la guerre ! Qui a fait ces hautes montagnes vomissant sur nous des torrents de feu ou déversant ces avalanches de neige qui nous engloutissent ? Ces tempêtes qui avalent des navires, ces maladies qui font saigner tous nos orifices... Il nous a offert la cupidité, la jalousie, l'envie, le désir, la colère, tous les péchés capitaux. Il n'y a aucun ordre moral, mon fils ! Tout se réduit à une seule question : lequel anéantira l'autre ? Ma violence sera-t-elle plus forte que la vôtre ?

Il se rapprocha de son interlocuteur, front contre front. Et répéta :

– Laquelle des deux ?

– Je ne suis pas sûr de comprendre, bougonna Laurent.

Il s'était réfugié dans cette abbaye pour déjouer les filatures de la police et finir ce qu'il avait entrepris, pas pour écouter ces sermons apocalyptiques. Il réprima sa colère.

– Laquelle des deux ? insista le moine. Ma violence sera-t-elle plus forte que la vôtre ? Car vous êtes un homme de sang, mon fils. Je le sens, je le sais. Tiens, pendant que je vous parle, n'auriez-vous pas envie de m'enfoncer les ongles dans les yeux jusqu'à ce qu'ils explosent dans leurs orbites ? Et si j'essayais, moi ? Ne m'arrêteriez-vous pas avec violence ?

– Si. Certainement.

– C'est ainsi. Votre retraite spirituelle n'est qu'un écran de fumée. Vous n'abusez personne.

– Vous ne me connaissez pas.

– Ceux de notre espèce se connaissent depuis la nuit des temps. Je n'ignore rien de vous, rien. Je sais que vous êtes un homme triste, rempli de haine. Les autres sont des pauvres gens. Ils mangent, ils boivent, ils dorment, ils prient. Ils ne voient pas la souillure que nous répandons sur la Terre. Les hommes ne sont pas plus utiles que des chiens enragés.

Le soleil illuminait les collines, mais ne réchauffait rien. Les pierres étaient froides, et des silhouettes de moines passaient, au loin, le capuchon sur la tête. L'un se dirigeait vers le potager, où il fallait pailler les plates-bandes. L'autre allait se réfugier dans la chapelle, pour prier. Tous étaient absorbés par leur univers intérieur. Laurent Berry se déplaça légèrement.

— Dès demain matin, vous n'aurez plus à vous soucier de moi, mon père. Je serai loin.

— Mais vous n'irez nulle part, mon fils.

— Permettez-moi de vous contredire.

— Sentez-vous ? Sentez-vous ?

Le moine aspirait l'air, comme un chien truffier.

— Je crois bien que c'est l'odeur de la peur. Sachez que j'attends avec impatience votre dernière danse.

Sur ces mots, le moine se leva. Laurent Berry le regarda s'éloigner. Il passa la journée à essayer de prier, sans savoir à quelle divinité – ou à quel démon – adresser ses prières. Énervé, sentant une menace dans les propos du moine noir, il se mit à faire les cent pas dans sa cellule, attendant avec une patience morose l'arrivée de la nuit. Il faillit s'asseoir sur la paillasse, mais se ravisa en songeant qu'il pourrait s'endormir et ne se réveiller qu'au petit matin. Il alla s'asperger le visage d'eau glacée.

Son corps entier lui faisait mal. Avant de venir à Sénanque, il avait tout fait pour brouiller les pistes. Sentant que la police se rapprochait, il avait préféré disparaître. Mais en laissant un piège : dans ce bar, rue Meyerbeer, il avait bien noté le manège du serveur. Il n'avait rien dit à Arlette Stavisky. Dans la conversation, il avait glissé des indications sur les documents parvenus entre les mains de Pressard. Le serveur, sans nul doute, était un indic, comme tous les taxis, comme tous les barmen. L'information parviendrait bien aux oreilles de Barnabé. Et, à partir de là, il suffisait de laisser faire, de donner du temps au temps.

Le temps avait passé. La machine était en route, mais elle était plus lente que prévu.

Laurent Berry avait abandonné sa voiture au fond d'un étang, à hauteur de Lacoste. Et il s'était réfugié dans cette abbaye, loin du regard des hommes, depuis octobre dernier. Maintenant, c'était terminé. Il changea de vêtements, abandonnant la robe de bure et remettant ses habits de ville. Sans hâte, mais sans perdre de temps, il emprunta le long couloir nord, humide et glacé. Des gouttes d'eau suintaient des murs. La flamme des bougies ne permettait guère de voir au-delà de quelques mètres.

Il arriva devant une porte fermée, barrée par une traverse en bois. Il souleva la barre et entra, promenant la lueur d'une bougie devant lui. Devant la porte de la neuvième cellule, celle du moine noir, qui n'était pas fermée à clé, il souffla la bougie, puis il entra sans bruit. La pièce minuscule était meublée d'une table rustique sur laquelle il y avait des livres et une lampe à huile qui continuait à brûler. Une petite fenêtre, protégée par des barreaux en forme de croix, laissait deviner une nuit sans lune. Il s'immobilisa, cherchant la pelote de ficelle qu'il avait préparée. Soudain, une silhouette jaillit de l'obscurité. C'était le moine. Il tenait un couteau à la main. Laurent Berry eut l'impression qu'il allait être traversé. En une fraction de seconde, il esquiva le coup, entendit le couteau tomber, leva les mains, déployant la ficelle qu'il débobinait en même temps. Celle-ci passa sur la gorge du moine. Quelques minutes plus tard, il était mort.

Laurent Berry s'assit. Il regarda le cadavre, et se leva pour le dénuder. Puis il ramassa le couteau et éviscéra la victime. S'essuyant avec la robe de bure, il se lava les mains et prit une bible sur la table, arracha méticuleusement les feuilles, une par une. Il se mit à les lécher et les colla, l'air absent, sur le ventre et le sexe du moine. Il n'arrêta que lorsque le corps entier fut recouvert. Il se recula pour contempler son œuvre, les yeux mi-clos. Puis soudain, comme s'il reprenait ses esprits, il épousseta ses vêtements et quitta rapidement la cellule, laissant la porte ouverte. Son visage rayonnait de triomphe. Il s'en alla par le même couloir nord.

Quelques minutes plus tard, Laurent regardait le porche de l'abbaye. Il fit une pause devant la chapelle, puis se fondit dans la nuit. Il voyait le contour confus des collines déchiquetées, et la masse sombre des premières maisons de Gordes. Évitant le village et pivotant brusquement vers le nord-est, il s'éloigna à grandes enjambées rageuses. Un nouvel exil l'attendait, inexorable.

Mais la machine de la vengeance, elle aussi, était inexorable...

– CHAPITRE 19 –

Depuis son désaisissement, plus rien n'avait bougé pour Barnabé. Le 22 décembre, le scandale du mont-de-piété de Bayonne était devenu public. Ce jour-là, le receveur des Finances était venu faire une petite tournée d'inspection. M. Sadron avait opéré une vérification dans les comptes du crédit municipal de la ville, et avait demandé à voir les souches des bons de caisse venant à échéance. Il avait les bons correspondants en main, achetés par des compagnies d'assurances. Celles-ci demandaient qu'on les rembourse. Très vite, le méticuleux receveur Sadron avait constaté qu'entre les souches et les bons, les sommes ne correspondaient guère. Il avait immédiatement flairé l'escroquerie : celle-ci, selon ses calculs, portait sur deux cent trente-neuf millions de francs. La nouvelle, au ministère des Finances, avait fait l'effet d'une explosion. Tissier, le directeur de l'agence du crédit municipal, avait été arrêté. Il avait avoué, faisant porter le blâme sur un financier, M. Alexandre. Immédiatement, les recherches contre Stavisky avaient été relancées.

Barnabé avait suivi les événements. Deux jours plus tard, la veille de Noël, un train rapide avait déraillé sur la ligne Paris-Nancy. Il y avait eu deux cents morts. Stavisky avait alors fait courir le bruit qu'il était lui-même décédé. Un complice, l'inspecteur Bonny, avait été chargé de glisser les papiers de l'escroc dans les poches de l'une des victimes. Arlette Stavisky, elle, avait exhibé son désespoir un peu partout à Paris.

Malheureusement, Stavisky avait été aperçu, bien vivant. Il avait quitté son nouvel appartement de la rue d'Obligado, et s'était de nouveau évanoui dans la nature. Barnabé attendait son heure. Il savait qu'elle arriverait : « Ils viendront me chercher », avait-il dit à Alice.

Et, en effet, ils étaient venus le chercher.

Tout avait commencé par la convocation, le 4 janvier, au bureau de Gripois. Barnabé s'y était rendu, comprenant que les choses se remettaient en marche. Depuis l'été, il s'était consacré à la gestion des affaires courantes : un boucher avait découpé sa maîtresse, un garagiste revendait des voitures volées, un trafic de femmes de petite vertu, venues d'Argentine, avait été démantelé. Les moyens se faisaient maigres, le ministre se réfugiant derrière les nécessaires resserrements budgétaires. À Berlin, une loi avait été votée pour la protection de la race allemande. Et, aux États-Unis, la Prohibition venait d'être abolie, forçant les gangsters à se reconvertir. Certains dévoyés devenaient honnêtes.

Quand il poussa la porte de Gripois, Barnabé savait, en gros, ce qui l'attendait. Le divisionnaire, un petit homme dont les pieds ne touchaient pas le sol quand il était assis, était un fin politique. Il sentait le vent. Le visage rond, les narines épatées, le costume sombre, il surveillait jalousement la raie qui séparait son crâne en deux parties égales et cultivait sa ridicule moustache avec un soin de jardinier.

– Entrez, Barnabé, entrez.

Barnabé s'avança jusqu'à l'un des deux fauteuils de cuir qui faisaient face au bureau du division-naire. Ils étaient un peu plus bas que la moyenne, mettant le visiteur en situation d'infériorité. Gripois indiqua le fauteuil de gauche d'un doigt taché de nicotine. Il s'enquit ensuite de la santé de son col-laborateur, prit des nouvelles du service, indiqua qu'il envisageait de promouvoir Berthier, qui était un homme d'avenir. Puis il passa aux choses sérieuses.

– Vous n'êtes pas sans savoir, Barnabé, que je vous ai en haute estime.

– Je vous en remercie, monsieur le divisionnaire.

– C'est normal, c'est normal. J'ai donc envie de vous confier une affaire, comment dire... délicate.

– Je vous écoute.

– Délicate, oui. On m'a demandé, vous voyez ce que je veux dire, d'observer la plus haute discrétion.

– Ah, bigre.

– Oui, oui. Car l'affaire Stavisky, comme vous le savez, est entre les mains du ministre, et de per-sonne d'autre.

– Oui, je comprends.

– Eh bien figurez-vous, mon cher Barnabé, que nous avons peut-être une piste pour résoudre les affaires Cortès et Stavisky d'un seul coup.

– Je vous écoute avec une extrême attention.

– Bien. On vient de me signaler un meurtre à

l'abbaye de Sénanque. Le mode opératoire est le même que précédemment. Le signalement correspond.

– Une éviscération ?

– Exactement. Et un dessin de pingouin, enfin, de macareux, comme vous dites.

– C'est signé.

– En effet. Je vous suggère donc, mon cher Barnabé, de reprendre votre affaire là où vous l'avez laissée en juillet. Vous aviez une piste, si je ne m'abuse...

– Oui. Un nommé Laurent Berry...

– Eh bien suivez-la. Vous m'aviez expliqué que notre homme gravitait dans l'entourage de Stavisky, et c'est là que le bât blesse.

Le divisionnaire fit pivoter son fauteuil, comme pour se donner le temps de la réflexion. Il avait les tics d'un acteur qui cabotine sur scène. Il reprit :

– Le difficile, voyez-vous, c'est de renouer tout ça sans donner l'éveil au ministère. Laissons-les s'occuper des intérêts nationaux, et nous, nous nous chargerons des coupables. Capturez notre homme, amenez-nous les preuves, un bon dossier ficelé, et le reste, je m'en occupe.

– C'est donc une affaire officielle ?

– Non, non, Dieu du ciel ! Comme vous y allez ! Rien d'officiel ! Pas de rapport, pas de feuille de suivi, tout dans le doigté. Vous serez seul. Enfin, seul...

– Précisez, monsieur le divisionnaire.

– Je précise, mais je ne vous ai rien dit. Voilà : certains... euh... éléments qui œuvrent en faveur de la justice... Des amis... voudraient mettre un terme à cette méchante affaire. Dans l'ombre, ils vous aideront.

– Des francs-maçons, donc ?

– Je n'ai rien dit, rien ! Allez, Barnabé, allez ! Et que je n'entende pas parler de vous. Disparaissez !

Et Gripois, le doigt jauni en l'air, semblait sommer le Ciel de bénir son envoyé sur Terre. Barnabé s'éclipsa, secrètement ravi. Dehors, le temps était à la neige.

Dûment mandaté par son patron, Gino s'était immédiatement mis en chasse. « Discrétion, hein, Gino », avait martelé Barnabé. Le Napolitain avait pour mission de reprendre contact avec Stavisky, en douceur, par l'intermédiaire de sa femme. Barnabé avait précisé :

– Tu la retrouves, tu lui expliques que j'ai besoin de voir son mari, et que je saurai être compréhensif. C'est tout. Compris ?

– Compris, patron.

Vêtu d'un beau pardessus en cachemire à revers de soie, coiffé d'un chapeau mou de chez Motsch, Gino était parti. Il avait son idée. Dans la rue, une couche de neige tombée la nuit s'était transformée en boue : il hésita à salir ses escarpins de chez Pilotti et sautilla jusqu'au caniveau, s'appuyant sur une jolie canne d'acajou qui, évidemment, était moins innocente qu'elle n'en avait l'air. Il héla un taxi Renault dont le chauffeur, en blouse grise, surplombait le client. La cabine des passagers était chauffée. Celle du chauffeur ne l'était pas. Sans doute celui-ci se gardait-il du froid pinçant à l'aide d'une brique chaude enveloppée dans du papier journal.

– Au 31, rue Cambon !

– Bien, monsieur.

Le chauffeur toucha sa casquette et, dans un bruit de ferraille, embraya. Dix minutes plus tard, il déposait son client devant le magasin de Coco Chanel.

Gino jeta un coup d'œil distrait aux dernières créations de la couturière, dans la vitrine. Grande prêtresse de la mode, Coco Chanel lançait la ligne de printemps 1934 : des tailleurs déliés, des jupes raccourcies. Son goût pour le noir et blanc éclatait : à peine si une légère tache de rouge – une ceinture – rehaussait le tout.

Il entra dans la boutique. Celle-ci était immense : des chandeliers de cristal jonchaient le sol, un comptoir qu'on aurait dit sorti d'un tableau de Dalí sinuait vers les salons d'exposition, et des femmes pressées allaient vers des destinations inconnues. « Une ruche », pensa Gino, qui s'avança vers la jolie réceptionniste. Enlevant ses gants et son chapeau, il demanda, avec la pointe de snobisme nécessaire, à voir Mademoiselle. On lui répondit que c'était impossible, il insista. On lui fit comprendre que c'était inutile, il inventa.

– Dites-lui que c'est de la part du duc de Westminster.

Or, c'était un secret bien gardé, le duc était l'amant de Coco Chanel, dont la vie amoureuse était à mille facettes. On lui connaissait une liaison avec le grand-duc Dimitri, une autre avec Misia Sert, une aventure avec Pierre Reverdy et des tonnes d'amourettes, masculines et féminines. C'était une boulimique de l'amour, et elle gérait ses liaisons avec la précision d'une banquière qui surveille la hausse de la Compagnie du Cobalt-Congo ou le rachat de la Banque des comptoirs réunis.

On fit passer Gino dans un petit salon orné de miroirs, d'où il put admirer à loisir les mannequins qui passaient, pour allécher des riches clientes espagnoles. Il ouvrit son manteau, montrant une magnifique veste croisée en mohair et une cravate de soie. Au bout d'un moment, dans un bruissement de feuilles mortes, une petite femme pressée entra. C'était Gabrielle Chanel. L'œil pétillant, la bouche volontiers méchante, les mains vives, elle ferma la porte derrière elle. Ils étaient seuls, avec des reflets d'eux-mêmes. Elle prit place dans une bergère Louis XV.

– Eh bien, monsieur, on me dit que vous voulez me voir ?

– En effet, madame. Je me nomme Gino Antonioni.

– Ainsi, vous connaissez le duc ?

– En effet. Je lui ai rendu, naguère, quelques menus services. Il a eu l'élégance de m'en savoir gré.

– C'est dans sa manière, bien sûr. Allez au fait, monsieur, ne perdons pas de temps.

– Voilà. Il est de la plus grande importance que j'entre en contact avec l'une de vos protégées, Arlette Stavisky. Il est également nécessaire que ce contact se fasse dans la plus grande discrétion, à l'abri des regards.

– Qui me garantit que vous êtes de parole, monsieur ? Je ne vous connais pas.

– Mais elle, elle me connaît. Auriez-vous l'amabilité de lui dire que j'ai un... disons une offrande, pour son mari. J'ignore si elle sait où il est, mais...

Coco Chanel éclata d'un rire strident.

– Évidemment, monsieur Antonioni, elle le sait !

– Mais, depuis quelques mois, elle le cherche.

– Feinte, monsieur, feinte ! Imaginez-vous qu'une femme comme Arlette perde le contact avec l'homme qui la fait vivre, et qu'elle aime ? Vous plaisantez ! Elle a fait le tour de Paris, elle a séduit Prince, Daladier, tout le monde ! Et tout le monde l'a crue, y compris vous-même. Mais Arlette ne faisait que dresser des murailles de protection !

– Ah, je comprends. Je me suis laissé berner.

– Mais maintenant que la pièce est presque jouée, qu'Alexandre est sur le point d'être jeté en pâture aux chiens, elle n'a plus besoin de jouer cette farce. En revanche...

– Oui ?

– En revanche, disais-je, elle a besoin d'aide.

– Je lui en apporte.

On frappa à la porte. Un jeune couturier, un blondinet svelte portant un bracelet en velours piqué d'aiguilles sur la manche de sa blouse grise, s'avança.

– On vous réclame, mademoiselle.

Coco Chanel se leva. Elle s'approcha de Gino, suivit son regard et se redressa.

– Bien. Je vous laisse, monsieur. Votre commission sera faite.

– Je vous en remercie.

– Et ne vous recommandez plus du duc quand vous avez besoin de me voir. Dites les choses simplement. Veuillez attendre ici.

Elle allait sortir. Le jeune garçon, planté là, tenait la porte. Coco Chanel pivota, revint vers Gino, et lui murmura à l'oreille :

– S'il vous plaît, n'hésitez pas. Il se nomme Philibert.

Puis, en une seconde, elle s'éclipsa. Gino, resté seul, rougit. Coco Chanel, dans sa perspicacité et sa connaissance de la nature profonde de l'homme, avait vu quelque chose, chez cet homme, que lui-même ne s'avouait pas. Pas encore, du moins.

La tête en émoi, il se rassit. Sortant son porte-cigarette, il se mit en devoir d'y enfoncer une égyptienne, avec des gestes précieux. Le tabac le calmerait. Il se regarda dans un miroir, redressa sa cravate, et lissa ses sourcils. Mille Gino lissèrent leurs sourcils.

Une heure passa. Derrière la porte du petit salon, on entendait un bourdonnement continu. Gabrielle Chanel, fille de rien, était devenue la femme la plus courtisée de Paris. Elle était née dans la pauvreté, elle était riche. Gino laissa ses pensées dériver. Une radio jouait, quelque part, un air de jazz-band. C'était la musique qui avait ouvert le spectacle du Jockey. Il se revit, confortablement assis dans le canapé de la boîte de nuit... Toute sa vie, il avait vécu avec, et pour, les femmes. Cette nuit de juillet 1933, son compagnon d'un soir, l'autre Gino, avait détruit ses certitudes. Il ne s'était rien passé, et cependant, plus rien n'était pareil. C'est ce tremblement qu'avait instantanément décelé la créatrice de mode.

La porte enfin s'ouvrit, et se referma aussitôt. C'était Arlette Stavisky, le visage caché par une voilette, le cou enveloppé dans une étole de vison, les mains serrées sur la gorge. Gino se leva.

– Ah, madame !

– Je vous ai fait attendre ? J'en suis désolée. Mais asseyez-vous, monsieur Antonioni.

Elle dégrafa son manteau, entrouvrit le col. Elle n'allait pas rester. Il tenta de converser.

– Eh bien, que devenez-vous, madame, depuis notre soirée chez Lipp ?

– J'en garde un joli souvenir. Mais vous n'êtes pas venu me parler de souvenirs, n'est-ce pas ?

– Non, en effet. Dans d'autres circonstances...

– Allez, allez. Laissons les circonstances.

– Bien. Mon patron, le commissaire Barnabé, souhaiterait rencontrer votre mari, rapidement. Très rapidement, même.

– Et qui vous fait penser que je sais où il est ?

– Personne. Mais, si d'aventure vous aviez un contact avec lui...

– Oui ?

– ... le commissaire serait prêt à faire échange.

– C'est-à-dire ?

– À troquer certains papiers contre certains renseignements.

– À savoir ?

– Là, madame, je ne peux pas aller plus loin.

– Et qu'avez-vous à offrir ?

Gino balaya d'un revers de main une poussière imaginaire sur son pantalon. Puis, d'une voix à peine audible, il murmura :

– Le dossier Hudelo. Les papiers de Prince.

Arlette Stavisky se leva d'un bond.

– Savez-vous ce qu'ils représentent, ces papiers, pour lui ?

– Oui. Peut-être la liberté.

Arlette Stavisky se rassit. Elle ouvrit largement son manteau, dévoilant d'admirables jambes, fines et galbées. Elle enleva ses gants, et tira le cordon de la sonnette près d'elle. Philibert apparut. Arlette, sans tourner la tête, dit à Gino :

– Du lapsang souchong, voulez-vous ?

Gino opina. Il leur restait à discuter les termes du contrat, les modalités de l'échange. C'était une partie d'échecs aussi fine que le traité de Versailles. Personne ne voulait être floué. Gino s'installa plus confortablement. L'après-midi allait être longue.

– CHAPITRE 20 –

Barnabé se leva tôt. Alice, roulée en boule contre le mur, soupira sans ouvrir les yeux. On sentait, à travers la mince vitre de la fenêtre, que l'hiver s'était installé. Un silence cotonneux régnait sur la ville : la neige, pendant la nuit, avait recouvert les toits. Dans l'obscurité, Barnabé tâtonna pour trouver la lampe à pétrole, afin d'éviter d'allumer l'électricité et de réveiller Alice. Il se faufila dans la cuisine, mit de l'eau à chauffer, et fit une toilette sommaire. La veille, il s'était muni des dossiers entreposés sur le radiateur, où personne, comme il l'avait prévu, n'avait eu l'idée de les chercher. Gino lui avait expliqué les termes du rendez-vous : Barnabé devait venir seul, le lieu serait secret, la conversation resterait entre hommes. Pas d'arme, pas de filature, rien de nature à mettre qui que ce soit sur la piste de l'homme le plus recherché de France. Arlette avait été formelle. Il y allait de la sécurité de M. Alexandre.

Barnabé regarda le ciel, noir comme de la poix. Pas un souffle de vent. Il s'habilla en vitesse, but un bol de chicorée mélangée de café, et, doucement, sortit sur le palier. Dans la rue, il regarda avec un étonnement d'enfant les trottoirs couverts de neige, encore immaculée. Il eut envie d'avaler une gorgée de marc, de fine ou de rhum, quelque chose de raide, pour se mettre en train. Mais depuis qu'Alice était entrée dans sa vie, il buvait moins. Il se cala dans le porche de son immeuble, releva le col de son pardessus médiocre et alluma la première cigarette de la journée, la main serrée sur une serviette en carton bouilli aux allures de cuir. Les réverbères donnaient une lumière jaune, un peu poisseuse, qui engluait le décor. Il eut l'impression d'être au bout du monde. Avec le pied, il traça des lignes par terre, comme autrefois, avec Eleanora. Du bout de la rue, il aperçut une voiture noire – une magnifique Voisin, longue et élégante, à freins hydrauliques. Silencieusement, celle-ci s'approcha et s'arrêta devant lui. La porte s'ouvrit. Barnabé monta, jetant sa cigarette dans le caniveau. Le chauffeur, un homme silencieux, le regarda dans le rétroviseur et, comme si elle glissait dans un air glacial, la voiture repartit. Non loin de là, un allumeur de réverbères posa sa perche, se dépouilla de sa blouse et de son tablier et, selon toute apparence, déserta son poste.

Ils passèrent par la rue de Richelieu, traversèrent les guichets du Louvre, atteignirent la Seine. Des panaches de fumée s'élevaient des péniches ancrées sur le fleuve, où des glaçons dérivaient paresseusement. Quelques oiseaux picoraient sur les quais, et des haleurs déchargeaient des sacs de charbon. Barnabé, la serviette sur les genoux, se laissait aller à la torpeur. Le chauffeur, vêtu de noir, ressemblait à un croque-mort.

Ils roulèrent ainsi jusqu'aux fortifications. À vrai dire, il n'en restait rien : la zone, la fameuse zone, avait tout dévoré. Des bicoques en tôle, des baraques en bois se succédaient, et quelques chiffonniers tiraient des carrioles chargées de vieux meubles, tout en exhalant une buée épaisse. Un bistrot louche s'allumait, où le patron mettait sans doute à chauffer une casserole de vin d'Algérie, du gros rouge qu'on relevait de sucre et de citron, et qui faisait battre le cœur. Le paysage, désolé, suait l'ennui et la misère.

Ils parvinrent au bois de Meudon où, en 1871, les insurgés avaient pris le fort, face aux Prussiens et Versaillais, puis étaient morts sous la mitraille. La voiture s'arrêta. Dans un silence total, que rien ne troublait, on entendit un sifflet. Un homme apparut, avec une casquette de marlou. Il regarda à droite et à gauche, et fit un appel de la main. Une autre voiture s'avança, une Citroën 7. L'homme fit signe à Barnabé de descendre. Le commissaire s'exécuta. Il monta dans la deuxième voiture, dans laquelle, à sa surprise, se trouvait un homme. Il reconnut Henri Hayotte, l'homme à tout faire de Stavisky.

Épais, court, les cheveux frisés, la face ronde, Hayotte dégageait une impression de stupidité pataude. On disait qu'une surdité naissante soulignait son inertie naturelle. Mais ce manque d'intelligence affiché cachait, en fait, une grande rouerie. L'homme était rusé comme un marchand de chevaux, et traître comme un personnage d'*Othello*. Il se pencha vers Barnabé et dit simplement :

– Vous permettez ?

– Non.

– Tant pis.

Il palpa le commissaire sous les bras, puis le long du pantalon. Satisfait de ne découvrir aucune arme dissimulée, il se rencogna, fit un signe, et la Citroën démarra.

Combien de temps roulèrent-ils ainsi ? Une heure ? Deux ? On se perdait, dans ce pays de neige. Peu à peu, un jour gris s'était levé. En arrivant près d'un étang, Hayotte se contenta de dire :

– C'est ici.

Ils descendirent. Un chemin boueux s'enfonçait à travers les taillis. Hayotte invita Barnabé à le précéder. Celui-ci essayait de se repérer. Ville-d'Avray, peut-être ? Il penchait pour le sud. Faisant attention à ne pas glisser, Barnabé sautait de pierre en pierre, mais ses souliers furent rapidement trempés. Les pieds mouillés lui rappelaient fâcheusement les tranchées. Son humeur s'en ressentit.

– C'est fini, ce cirque ?

– Presque. Vous comprenez que certaines précautions...

Ils tournèrent un coude et là, une maison se dressa devant eux. C'était un petit manoir, dont la cheminée fumait. Tandis que Barnabé secouait ses chaussures sur la grille d'entrée, la porte s'ouvrit et Arlette Stavisky, en robe du soir, apparut, les épaules couvertes d'une étole blanche.

– Vous m'excuserez, commissaire, pour cette tenue, mais nous ne nous sommes pas couchés. La soirée a été longue.

Barnabé entra. Il se défit de son manteau humide, accrocha son chapeau, vérifia s'il avait bien son étui à cigarettes et sa serviette. Hayotte avait disparu. Arlette lui fit signe d'entrer dans la bibliothèque.

Un haut fauteuil était calé face à la cheminée. Un filet de fumée s'échappait, et l'on distinguait des mains sur les accoudoirs. Des mains fines, soignées,

presque féminines. Barnabé s'avança. L'homme se
leva, se tourna et, dans un sourire las, mais magnifique, dit simplement :

– Bienvenue, commissaire. Nous avons à parler,
je crois.

Le feu crépita, lançant des étincelles sur le pantalon de smoking de l'hôte. Il avait défait son nœud
papillon, et sa veste noire aux revers satinés était
ouverte. Il désigna un autre fauteuil :

– Asseyez-vous.

C'était l'homme le plus recherché de France, celui
que la police traquait et que les hommes politiques
redoutaient. On voulait l'attraper mais, en même
temps, on ne le voulait pas. On était curieux de
connaître ses secrets, mais on souhaitait qu'il restât
silencieux. Il menaçait l'État, et voulait qu'on
l'oubliât. C'était un fuyard, mais on le redoutait.

C'était Alexandre Stavisky.

Il était né, disait-on, en Ukraine, près de Kiev, en
1886. Le grand-père, selon la rumeur, était un
homme sans scrupule : il achetait des armes pour
le tsar. Le père, lui, s'offrait le luxe d'avoir une
conscience : il était dentiste. Sa passion pour l'honnêteté l'avait conduit à se suicider lorsqu'il avait
constaté la fourberie de son fils, aidé en sous-main
par l'aïeul, qui n'avait pas tardé à décéder. On disait
qu'une fille lui était née d'un premier lit, mais on
n'en avait aucune nouvelle...

Un premier mariage, en 1910, avait fait croire
qu'Alexandre Stavisky voulait vivre des femmes, ce
qui était vrai. L'épousée, qui portait le nom peu

engageant d'Armande Sévère, connut le bonheur, le temps d'épuiser sa dot. Pour le reste, Stavisky avait accumulé les affaires, les transactions douteuses, les montages de vent, les dépenses extravagantes. Il dépensait à pleines poignées, arrosant une cour de bouffons et de parasites, corrompant la moitié des hommes politiques français, tissant des liens indéfectibles. La police s'était rapidement intéressée à lui, et un rapport de la préfecture constatait : « Il y a dans Stavisky du Mandrin, d'un Mandrin adapté aux conditions de la vie moderne et privé de l'auréole que lui a donnée la légende. » Riche, fastueux, fréquentant les casinos, les champs de courses, les officines louches et les boîtes tziganes, Stavisky était l'escroc le plus flamboyant du siècle : son ami Joseph Kessel, qui n'était pas dupe, partageait avec lui le goût des alcools forts, des soirées exceptionnelles, des jolies femmes et de la vie dévorée à belles dents. L'époque était à la pourriture : Stavisky lui donna de l'éclat.

Barnabé le regardait attentivement. À quarante-huit ans – il en avouait quarante-trois ! – l'homme portait beau. Élégant et souple, il se mouvait avec grâce, ponctuant sa conversation de sourires étincelants : la denture était parfaite. Les yeux noirs, vifs, vrillaient l'interlocuteur. Mais « il y avait dans ce visage au charme assez facile un contraste qui le relevait singulièrement », avait écrit Joseph Kessel, poursuivant : « La moitié supérieure de la figure, énergique, ferme et presque belle, se trouvait démentie par la mollesse du menton, par l'inflexion de la bouche, faible et rusée quand elle n'était pas maquillée par le sourire dont Alexandre usait si souvent comme d'une arme. »

Les deux hommes, seuls, regardaient le feu. Peu à peu, Barnabé se réchauffait. Stavisky se leva, versa deux verres de whisky, nouveau breuvage à la mode, et en tendit un au commissaire. Ils burent chacun une gorgée. La chaleur inonda Barnabé, qui trouvait cette réunion extraordinaire, hors du réel. Il y avait une sorte de quiétude dans l'air. Des papiers achevaient de brûler dans la cheminée. Stavisky, doucement, demanda :

— Eh bien, commissaire ? Nous commençons ?

— Si vous voulez.

Un jour laiteux entrait par la fenêtre. Quelques corbeaux traversèrent le ciel. Stavisky reprit :

— Qu'avez-vous pour moi ?

— Ceci.

Le commissaire tendit la serviette. Stavisky la prit, l'ouvrit et en tira les papiers, les fameux papiers.

— Incroyable ! dit-il avec une pointe d'admiration dans la voix.

Il se mit à feuilleter, puis à lire le dossier Hudelo. Vinrent ensuite les lettres à Caujolle, le comptable. Barnabé sentait qu'il manquait de sommeil : il faillit s'endormir devant le feu. Stavisky le tira de sa torpeur.

— C'est de tout premier ordre. De quoi faire sauter le gouvernement, et la moitié de la Chambre. Vous ne m'avez pas trompé.

— Non. C'était notre accord.

— Existe-t-il des copies de ces papiers ?

— À ma connaissance, non. Prince n'a sûrement pas songé à en faire avant qu'on ne les lui dérobe, et le procureur Pressard aurait eu bien tort de les faire circuler : il y est mentionné.

– Soit, monsieur le commissaire. Mais, dites-moi, quel jeu jouez-vous ?

– Disons que je mène une enquête qui vous touche de près, mais votre ombre me gêne.

– Ainsi, je ne suis pas concerné ?

– Si peu...

– Bien. À vous : que désirez-vous ?

– Des informations.

– Ah, mon cher commissaire, nous en voulons tous, des informations ! Tout dépend lesquelles !

Barnabé mira son verre devant le feu. Les flammes piquetaient l'alcool de paillettes dorées. Il répondit :

– On vous dit bien informé, monsieur Alexandre. On dit même que vous êtes l'homme le mieux informé de Paris.

– Oh, on exagère, vous savez. Mais demandez toujours.

Barnabé se cala au fond de son fauteuil et sortit son étui à cigarettes.

– Vous permettez ?

– Mais bien sûr !

Stavisky se pencha pour allumer la cigarette du commissaire avec un brandon. Il désigna l'étui.

– Il paraît qu'on vous veut du mal.

La balafre, sur le couvercle de l'étui, était nettement visible. Barnabé tira une longue bouffée.

– Voilà. Dites-moi tout ce que vous savez sur Laurent Berry.

– Ah, je vois... Eh bien, commissaire, il n'y a rien de secret. Laurent est, ou plutôt était, le compagnon d'Alexis Cortès. Nous nous sommes rencontrés à Berlin, lors d'un tournage, où j'avais quelques intérêts. Il m'a paru charmant, peu fiable, mais déterminé, et je l'ai associé, un temps, à mes affaires. Il a été très précieux pour aller convaincre certains banquiers qui aimaient que leurs vies privées ne soient pas étalées au grand jour.

– Des ballets bleus ?

– Exactement ! On ne peut rien vous cacher, commissaire !

Stavisky lança un sourire éclatant, puis continua :

– Que sais-je d'autre de lui ? Voyons : il n'a pas connu ses géniteurs, a eu une enfance chaotique chez des parents adoptifs qui l'ont maltraité, et a fait son chemin tout seul. Il ne faut pas le sous-estimer, commissaire. C'est un homme cruel, très certainement.

– Vous croyez qu'il a tué Mireille Laborde ?

– J'en suis sûr. Cette pauvre fille était un obstacle. Il l'a éliminée.

– Et Cortès ?

– Cortès le trompait. Il avait été même pris la main dans le sac, si j'ose dire, dans un refuge de montagne, en compagnie d'un petit berger...

– Au Chalet d'Arbois ?

– Exactement. Discret, retiré, parfait. L'ennui, c'est que Laurent n'a pas supporté... Cortès a certainement été dépecé dans l'étrange laboratoire, là-bas...

– Mais... Comment savez-vous ?

– Je sais tout, mon cher. Demandez encore.

Un centimètre de cendres tomba sur le pantalon du commissaire, qui ne s'aperçut de rien. Cette conversation le fascinait.

– Bien. Dites-moi, monsieur Alexandre...

– Oui.

– Au moment où Cortès a été tué, Berry était en

Allemagne. Et, à l'instant où nous le filions à Paris, une prostituée a été tuée rue de la Gaîté. La signature était la même...

– Un pingouin, n'est-ce pas ?

– Exactement.

– Cette signature avait pour but de vous déconcerter.

– Moi ?

– Oui, personnellement.

– Mais... Comment a-t-il fait ?

– Simple comme bonjour, commissaire.

– Il s'est dédoublé ?

– Précisément. Car Laurent Berry a un frère jumeau. Qui lui ressemble comme un décalque.

Barnabé se dressa. Mais comment n'y avait-il pas pensé plus tôt ? C'était évident ! Surpris, agacé, il demanda :

– Mais... où le trouve-t-on, ce... jumeau ?

– À Chamonix, sans doute, commissaire. Ou rue de la Gaîté. Comment savoir ? Nos oiseaux se ressemblent tellement !

Barnabé était debout, prêt à partir. Il jeta son mégot, entendit Stavisky lui dire :

– Vous m'êtes sympathique, commissaire. Pour vous témoigner ma satisfaction, un autre renseignement : le frère de Laurent Berry porte un faux nom. Il se fait appeler Louis Bert.

Surpris, Barnabé s'immobilisa. Louis Bert... Il connaissait ce nom. Il regarda Stavisky droit dans les yeux, et celui-ci sourit, d'un sourire charmeur, désolé et nostalgique. Il y avait tout le romantisme et toute la résignation de l'âme russe, dans ce sourire-là. Barnabé demanda :

– Mais comment...

– Comment je sais ? Mais commissaire, je sais tout, je vous l'ai dit ! Alexis Cortès, qui a beaucoup fréquenté chez moi, était un bavard intarissable ! Et, je vous avoue, j'aime bien être informé sur les gens que je rencontre. Laurent Berry n'a pas échappé à ma curiosité, vous pensez bien. D'ailleurs, si vous voulez mon avis, des deux frères, c'est le plus silencieux qui est le plus dangereux. Soyez sur vos gardes.

Barnabé remercia, et sortit. Des jumeaux ? L'esprit égaré, les pensées en désordre, il monta dans la voiture. Le voyage de retour, dans la Citroën 7, sembla interminable. La neige, amollie, laissait crever la boue à sa surface. Le Paris blanc du petit matin était en train de virer au sale. La neige était noire.

– CHAPITRE 21 –

— Ce que je ne comprends pas, c'est leur motivation. Qu'est-ce qui les pousse à faire des choses pareilles ?

La question de Gino resta sans réponse. Au bureau, ce matin-là, Barnabé avait immédiatement mis son adjoint dans la confidence. Celui-ci n'avait manifesté aucune émotion, mais ses yeux s'étaient mis à flamber. On était aux petites heures du matin : parti dans la nuit, Barnabé était rentré juste à temps pour le premier café. Ils descendirent ensemble au bistrot du coin, et les quelques mètres de trottoir étaient un marécage. La neige se transformait en pâte épaisse mêlée de suie et de crottin de cheval. Des commerçants avisés répandaient de la paille devant leurs boutiques, ou du gros sel. Une lourde odeur de fumée planait sur la ville, retenue par une brume jaune. Peu à peu, les réverbères s'étaient éteints.

Pourquoi le commissaire ne manifestait-il pas plus de contentement ? Gino était perplexe. L'enquête qu'ils menaient depuis l'été, et qu'on leur avait interdite en juillet, se dénouait. Les fils restaient difficiles à discerner, mais au moins, les coupables étaient identifiés. Qui étaient ces jumeaux assassins ? D'où venaient-ils ? Comment avaient-ils pu s'introduire dans les milieux parisiens, au point de gagner la confiance de Stavisky, de Cortès, de Jeanne d'Arcy et d'autres ? Et surtout, pourquoi ? Pourquoi ?

Barnabé touillait pensivement son café. Il alluma une cigarette, et regarda Gino. Celui-ci, ce matin-là, portait un gardénia à la boutonnière de son pardessus en laine d'Écosse. Barnabé montra la fleur du doigt.

– C'est un peu... trop décoratif, non ?

– Peut-être, chef, mais j'aime bien. Pourquoi faire comme les autres ?

– Que penses-tu, Gino ?

– Je pense qu'il faut les serrer, ces crapules.

– Il faut d'abord les attraper !

– Laissons-les venir. Si Mahomet ne va pas à la montagne, la montagne ira à Mahomet, ou quelque chose dans ce goût-là.

– À propos, j'ai fait libérer le fou Chaignier. Du moins, il a été placé en asile. Frassetto s'en est occupé. Aux dernières nouvelles, notre homme s'imaginait qu'il était un financier nommé Schreiber, et qu'il dialoguait avec un médecin viennois...

– Un fou, quoi.

– Il n'est pas le seul.

Les premiers employés de bureau entraient dans le bistrot, apportant avec eux des lambeaux de brouillard. Le poêle, au centre du café, fumait. Des gants, des pardessus, des parapluies s'étalaient sur des chaises tournées vers le feu qui ronflait. Les clients essayaient de sécher leurs vêtements, avant de retourner dehors. Le patron du café feuilletait un journal ramolli par l'humidité. Quelques livreurs en casquette à visière noire et en bourgeron vidaient des chopines de gros rouge : « Fait moins froid, comme ça ! » cria l'un d'entre eux, essayant de dérider ses compagnons, qui restèrent moroses. La patronne sortit de l'arrière-boutique, s'essuyant les mains. C'était une petite femme rondelette, dont les spécialités étaient la langue de veau aux câpres et les paupiettes. Des taxis, des chauffeurs de tram, des rouliers venaient de loin pour y goûter.

– Qu'est-ce qu'on fait, commissaire, maintenant ?

– On essaie de trouver Bert. C'est le plus mystérieux des deux, celui qui est resté le plus discret. Peut-être est-ce le plus dangereux ? Il m'intéresse. L'ennui, c'est que je ne sais pas par où commencer. Va faire la tournée de tes informateurs, ils auront peut-être une piste.

– D'accord. Je commence par Montmartre. À cette heure, Carlo-la-Cravache sera là. Puis j'irai vers Montparnasse, en passant par le Sébasto.

– Vas-y, et tiens-moi au courant.

Gino se leva, et, reprenant sa canne, salua la patronne d'un geste exagérément obséquieux, en se courbant :

– À la reine des paupiettes !

Il s'en alla dans un grand sourire, sous les plaisanteries des rouliers, qui l'aimaient bien :

– Adieu, l'Élégant !

Resté seul, Barnabé eut la tentation de boire un verre de calva. Il résista, puis y céda. Un étrange sentiment le dominait : la satisfaction d'avoir appris un secret mais aussi la tristesse de toucher du doigt une grande détresse. Car, avec cette révélation, Stavisky lui ouvrait un univers de perversion absolue. Il repensa à M. Alexandre : il y avait quelque chose d'authentiquement sympathique, chez cet homme, de réellement fraternel. Mais cette humanité était gâchée par une sorte de veulerie, un résidu de paresse. Avec son sens des affaires, il aurait pu faire de grandes choses : il était devenu un escroc ! Immense, certes, mais un escroc.

Barnabé se leva. La chaleur du poêle lui rougissait les joues. Il décida de repasser chez lui, pour changer de chaussures. Un homme pense mal quand il a les pieds mouillés, se dit-il.

En arrivant sur le palier, il constata que la porte de l'appartement était entrouverte. Sans doute l'avait-il mal refermée. Il entra doucement, pour faire la surprise à Alice, qui avait pris son congé de fin d'année. Il s'attendait à la trouver au lit, avec un magazine, ou dans la cuisine, devant un bol de chicorée. Mais il n'entendait pas la T.S.F. Le poêle était presque éteint. Était-elle sortie pour faire des courses ? Il s'assit sur le rebord du lit et se pencha pour ouvrir la petite porte du poêle : à travers le mica, il voyait bien que les braises rougeoyaient. De l'étage en dessous, une vague odeur de chou montait. Il enleva son pardessus, le regarda : il était élimé aux manches et au col. Il faudrait aller à Denfert, au Soldat laboureur, pour en acheter un neuf. La paie de commissaire n'était pas fameuse, mais les prix, dans ce grand magasin, étaient modestes. Pendant la guerre, on y avait même vendu des costumes en écorce de bouleau...

Il enleva ses chaussures et ses chaussettes, jeta quelques bûchettes dans le poêle et, desserrant sa cravate, entreprit de se laver les mains, après avoir enlevé sa montre. Là, sous le miroir, il vit un papier. Intrigué, il le déplia. Instantanément, son visage devient blanc, d'un blanc de cire. Il lut, à mi-voix :

> *Au revoir mon bébé bleu*
> *Ton fils s'en va à la chasse*
> *À la chasse au macareux*
> *Si tu dors bien, si tu es sage,*
> *De la chasse au macareux,*
> *Alice reviendra heureuse... Peut-être.*

Il ne nota pas tout de suite les modifications du poème. Car, en dessous, une ligne avait été ajoutée d'une écriture appliquée :

« Cadet-Roussel a deux enfants... »

Ses mains commencèrent à trembler. Alice avait été enlevée. Il remit ses chaussures à ses pieds nus, et passa son manteau en vitesse. Il savait où il devait aller. Avant de partir, il ouvrit un tiroir et prit deux objets. L'un était un Browning de service, l'autre la montre qu'il avait rapportée des tranchées. En dévalant l'escalier, il attacha la montre à son poignet. Sur le trottoir, il avisa un petit livreur, lui donna un billet confortable et le chargea de prévenir Gino. Pourvu que « l'Élégant » n'ait pas encore quitté le bureau...

*
**

Pierrot-belle-chemise, attablé dans son bistrot favori rue de la Gaîté, jouait aux cartes. C'était un jour de fiente, disait-il. Les filles se plaignaient du froid, les clients étaient rares, et le jeu n'était guère passionnant. Armaelle, la petite Bretonne du boulevard des Capucines, s'était révélée être une gagneuse exceptionnelle. Elle avait du cœur, de l'imagination et inspirait une sympathie immédiate aux chalands. De plus, elle s'y connaissait en matière de boutons de manchettes. Il regarda les nouveaux : ils représentaient un petit cheval en or, dont la queue était piquetée d'éclats de diamants. C'était d'un goût exquis. Évidemment, l'Édredonneuse avait geint et s'était plainte de l'ombre que lui faisait Armaelle, mais d'autres filles étaient venues s'ajouter à son écurie, et Pierrot-belle-chemise drivait tout son petit monde d'une main ferme. Celle qui se rebiffait avait droit à une rouste sérieuse, dont elle gardait le souvenir. Elle n'y revenait pas.

En abattant une paire de rois, Pierrot se demanda s'il devait choisir une fille comme compagne principale. La meilleure gagneuse, en général, avait droit aux pénates du maître, c'était la règle admise, et on lui donnait alors le titre envié de « pot-au-feu ». Elle tenait le ménage, faisait des passes, offrait des cadeaux à son homme, et aidait à garder la discipline dans les rangs. Pierrot avait une candidate, Rachida, une belle métisse aux fesses de rêve... Il posa les cartes, but un coup d'anisette. Ses partenaires voyaient bien qu'il n'y était pas.

– T'as des soucis, Pierrot ? demanda l'Artiche, un serrurier dévoyé, maigre et vif.

– Non, t'en fais pas. C'est juste toute cette neige pourrie.

– Ah, t'as raison, pour être pourri, c'est pourri. Regarde ça, la suie retombe des cheminées, c'est dégueulasse.

L'autre gars, un équarrisseur de formation, ne disait rien. Il faisait partie de la bande, mais c'était un taiseux. L'Artiche souleva d'un doigt méprisant le petit rideau de cretonne de la fenêtre, près d'eux.

– On dirait que les gens marchent dans un ruisseau de boue... Tiens, voilà la mère Canard, qui va chercher son homme au Bois-Charbon. L'a encore bu l'argent du ménage, celui-là. Et vise le gars, là, il a l'air bien pressé. Il va peut-être bien se casser la gueule, en glissant avec sa poulette... C'est ça qui serait marrant, vrai !

Pierrot jeta un coup d'œil distrait. La fille, de dos, ne lui disait rien : elle était trop mince. Il les préférait plus plantureuses. Le type, en revanche, il avait déjà vu son visage... Mais où ? Il chercha une minute, et reprit les cartes.

– Allez, on s'y remet. C'est pas parce qu'il a neigé qu'on est chômeurs. On joue, Bon Dieu !

Il regarda sa nouvelle donne. Elle n'était pas terrible.

Gino arriva rue Lepic. Il tourna à gauche, et là, dans une petite ruelle, il s'arrêta devant un bar minuscule. Le rideau de fer était à moitié tiré, mais la neige, devant le café, indiquait qu'on y avait déjà pénétré, et que les occupants étaient nombreux. Il se baissa sous le rideau de fer, tenant son chapeau, et ouvrit la porte. Quelques clients attablés discutaient en buvant du vin chaud. Le patron, un petit homme sanguin, essuyait des verres : Gino ne l'avait jamais vu se livrer à une autre activité. Un chien-loup, allongé sous le bar, regarda d'un air las le chaland, et referma les yeux. Les murs, tachés par l'humidité, suintaient. Un poêle hollandais, sans doute récupéré aux puces, fumait : une odeur de cendres mouillées et de chien mal tenu se répandait, se mêlant aux relents de tabac froid. La matinée touchait à sa fin. Personne ne mangeait.

– Salut, Pigasse.

Gino fit signe de sa canne. Le bonhomme s'arrêta d'essuyer les verres, et lui rendit son salut. Gino continua son chemin, passant devant le bar, et entra dans l'arrière-boutique.

C'était un autre monde. Dans une salle grande comme une grange qui traversait plusieurs bâtiments croulants, des dizaines d'hommes s'activaient devant des tables de jeu. Ils criaient, ils levaient les mains, ils jetaient des dés. Le sol, en terre battue, absorbait les cris et parfois une bagarre éclatait, vite réprimée par quelques individus à chapeau mou, postés aux quatre coins de la salle. Il y avait là des quinquagénaires bouffis, des matelots blêmes, des Sud-Américains énervés, des jeunes voyous, des pères de famille décavés, des Chinois aux yeux rougis. Au milieu, dans une cage grillagée, un caissier régnait comme un Bouddha, la visière sur le front, les manchettes de lustrine passées sur la veste, entouré de liasses de billets et de brimborions, reliquats de richesses jouées et perdues : bagues, bracelets, colliers, broches. Le bistrot de Pigasse n'était qu'une façade. En cas de descente de police, pas d'inquiétude : on était prévenu une heure à l'avance, grâce à des relations soigneusement cultivées à coups de billets de mille. Ici, tout le monde était indifférent aux autres, et tous étaient égaux devant la chance qui, tôt ou tard, finissait par tourner et abandonner ses croyants sur le pavé. Combien de fortunes s'étaient défaites dans cet endroit, combien de vies s'étaient brisées... Gino remarqua un grand Martiniquais qui hurlait, lançant les dés avec une force insoupçonnée, et peu nécessaire : ils rebondissaient sur le tapis vert et, à chaque tour, le laissaient un peu plus démuni.

Gino se fraya un chemin vers la table du fond. Le brouhaha était intense. Le croupier lançait la boule, et des parieurs plaçaient des billets pliés en deux, à cheval sur des lignes de partage. Ces billets, ratissés, disparaissaient rapidement dans une fente de la table, sous laquelle il y avait une boîte en fer, vidée toutes les demi-heures. Gino s'approcha d'un individu maladif, dont le front chauve et le nez en lame de couteau laissaient apparaître une méchanceté peu commune. C'était Attini, un voyou napolitain qui avait conservé du pays l'habitude de se déplacer en espadrilles – peu commodes pour la neige – et de fendre les coins de la bouche de ses adversaires d'un coup de lame sanglant. Attini ramassa un billet, regarda Gino de ses yeux pâles, et se retira de la table. Dans un coin de la salle, les deux hommes se mirent à parler.

– Oh, Attini, le bonjour !
– À toi aussi, poulet.
– Tu gagnes ?
– Des jours oui, des jours non.
– Et aujourd'hui ?

– Plutôt non.

– Et le business, ça tourne ?

– Faut bien !

Attini était spécialisé dans les fric-frac de maisons de banlieue. Il visait les habitations bourgeoises, et quand par accident il tombait sur des propriétaires réticents, il leur chauffait les pieds avec des brandons pour accélérer les confidences. Sa marque de fabrique était de tout dévaster : avec ses gars, il ne laissait pas un meuble en place, ne remettait jamais de l'ordre. « C'est un sale métier, disait-il, et je le fais salement. » Un règlement de comptes sournois, où il avait poignardé un homme, lui avait valu les faveurs de la police. Il s'en était tiré faute de preuve, mais Gino la détenait, la preuve : un coutelas maculé, avec ses empreintes digitales. Du coup, plutôt que « d'y aller du cigare » autrement dit d'affronter la guillotine, Attini préférait rendre service. Il était devenu mouchard par nécessité ou, comme lui faisait remarquer Gino parfois, sur un coup de tête.

– Alors, Attini, tu as des choses pour moi ?

– Rien, non, rien. Un petit braquage à La Celle-Saint-Cloud, une bagarre au couteau entre les gars de Simon des Lilas et Ch'ti Marcel, sans ça...

– Non, du plus gros. Du très gros.

– Ah non, là, Stavisky, connais pas. C'est pas mon rayon, pays.

– J'ai pas dit Stavisky. Mais tu n'as pas entendu parler d'un enlèvement dans le 9e ? Une jeune femme kidnappée par un gars blond, jeune, cheveux courts, ce matin même.

– Non, parole d'homme.

– Bon. Fais passer le mot. Et vite. Très vite.

– D'ac.

Ils ne se dirent pas au revoir, ils se séparèrent comme deux voitures à un feu vert. Gino traîna un peu, observant les visages, s'intéressant aux sommes d'argent, convaincu que les dés étaient forcément pipés. Il se retrouva dans la rue, aspirant l'air embrumé et terni par la suie. Le froid lui irritait les narines. Il prit la direction du boulevard de Sébastopol, où se trouvait son prochain indic.

Barnabé savait où Alice avait été emmenée. « Cadet-Roussel a deux enfants » : le message laissé en bas du poème était clair. En revanche, dans son affolement, il avait omis de préciser ce « détail » primordial sur le petit mot envoyé à Gino. Il avait simplement écrit : « Alice enlevée, rameute tes indics. » Fébrile, il héla un taxi, et se fit déposer rue de la Gaîté. À grands pas, il gagna l'entrée du fameux Cadet-Roussel. Il n'y avait personne. La neige n'incitait pas aux plaisirs, mais à rester chez soi. Personne ne répétait, et Roussel était absent. Seul un balayeur fatigué, une cigarette entre les lèvres, dispersait de la sciure sur le plancher. Comme un fou, Barnabé traversa la salle, ouvrit la porte des loges. Rien. Il arriva dans la salle des machines, pénétra dans la réserve, où des morceaux de décors achevaient de pourrir. Toujours rien. S'était-il trompé ? Il lui sembla entendre une musique derrière les caisses de bière. Il s'approcha : la porte de la cave était entrouverte. Il descendit quatre à quatre les marches luisantes : une pièce voûtée, suintante, s'ouvrait devant lui, encombrée de costumes anciens, de

283

bouteilles vides, d'instruments hors service. Deux autres portes et un soupirail indiquaient qu'il s'agissait d'un lacis de caves qui communiquaient entre elles, et qu'utilisaient les mauvais garçons pour se soustraire aux poursuites. C'était un dédale. Sur un gramophone, un disque jouait *Plaisir d'amour*. Il aperçut Alice. Elle était attachée, debout, les membres écartelés. Elle était nue. Il s'élança.

Un coup violent lui percuta la nuque. Il avait vu Alice ouvrir la bouche, mais le temps de comprendre qu'elle lui disait « Attention ! » il avait sombré dans l'inconscience. Il ne vit même pas Laurent Berry se pencher sur lui.

– CHAPITRE 22 –

Le mistral lui cinglait le visage. L'enterrement était réussi. Quand Barnabé eut fini de gravir la colline et arriva devant la grille du cimetière du village, il aperçut le gardien. Il entendait des cloches. Un peu plus loin, il vit une femme penchée au-dessus d'une tombe bien entretenue. Elle arrangeait des fleurs dans un vase. Le soleil couchant jetait une lumière jaune à terre. Quand Barnabé atteignit la tombe d'Eleanora, il avait les jambes lourdes. Il lui sembla, en fermant les yeux très fort, qu'elle venait vers lui en criant quelque chose. Elle lui demandait s'il pouvait la voir chevaucher un demi-sang de couleur bleue. Il cria : « Oui ! » Maintenant, Eleanora riait à gorge déployée. Il courut à sa rencontre. « Je te vois ! » disait-il. Il la voyait vraiment. Puis elle s'en alla, lui tournant le dos. Il essaya de la retenir, mais elle se fondait dans l'horizon, elle disparaissait. Elle ne fut bientôt qu'un point minuscule, puis plus rien.

Il se réveilla avec un mal de tête terrible.

Des cordelettes l'enserraient aux pieds et aux mains. Il tenta de bouger, mais il ne fit qu'attirer

l'attention de Berry, qui s'approcha de lui en traî-
nant les pieds. Barnabé essaya de parler. Il ouvrit
la bouche, mais sa gorge était sèche, ses cordes
vocales muettes.

Laurent Berry sourit. Barnabé distingua un objet
luisant dans sa main. C'était un scalpel. Berry se
pencha sur son prisonnier.

– Alors, on traîne ?

Puis il lui passa la lame à plat sur le front. Le
froid de l'acier, la peur d'être coupé réveillèrent
entièrement Barnabé. Si seulement il pouvait
atteindre son arme...

– Commissaire ! Votre Browning est entre mes
mains, bien sûr.

Barnabé expira bruyamment : toute sa force
s'écoulait de lui. Ligoté, il était impuissant. Il sentait l'eau de Cologne de son ennemi, il pouvait le
toucher, mais il était paralysé. Il enrageait. Berry
s'assit dans un fauteuil. Derrière lui, les bras en
croix, les jambes faibles, Alice luttait contre le froid.
Ses mains devenaient bleues.

Laurent Berry prit la parole :

– Je crois que vous n'allez pas aimer ce que je
vais vous dire, commissaire Barnabé. Mais j'ai tellement de choses à vous raconter ! Tellement... Je
ne sais par où commencer.

Barnabé grogna, essayant de se caler, assis,
contre la muraille.

– Essaie, ordure.

– Pas la peine d'être grossier. Je vais commencer
par le début, je crois. Voilà : j'ai un compte à régler
avec vous. Depuis longtemps. Mais vous êtes un
homme intouchable, mon cher. Policier chevronné,
bien entouré, bref, il me fallait un plan.

– Un plan ? Mais pour quoi faire ?

– Pour vous faire souffrir, mon cher. J'ai donc pris mon temps. Il y a trois ans, j'ai rencontré Alexis Cortès. Il avait ses entrées dans la société, il présentait bien, il était agréable. J'avoue que je suis tombé amoureux, mais c'est de peu d'importance. Ce qui était important, c'est que, grâce à lui, j'allais entrer en contact avec le Tout-Paris. C'était facile : Stavisky était au centre de tout, et c'était un ami de Cortès. Je me suis mis en affaires – oh, rien d'important ! – avec le bon monsieur Alexandre, et j'ai compris comment je pouvais vous attirer. D'une part, il me fallait un beau gros crime, qui vous intéresserait...

– Salaud ! Comment...

– J'ai donc profité de ma jalousie – qui était authentique, je vous assure ! – pour me débarrasser de cette truie, Mireille Laborde. Et j'ai fait de même avec Cortès, devenant son héritier du même coup. J'ai eu bien du plaisir à savoir qu'il était découpé et placé dans des bocaux, en pièces détachées...

– Mais... Et Jeanne d'Arcy ?

Derrière Alice, une voix se fit entendre :

– C'est là que j'interviens, commissaire.

Louis Bert s'avança, visiblement satisfait de son effet. Il ressemblait à son frère comme deux gouttes d'eau. Il sourit :

– Nous nous sommes bien amusés. Pendant que vous cherchiez à Paris, moi, je faisais le petit croque-mort à Chamonix. Pendant que vous étiez à Chamonix, mon frère vous faisait courir vers Paris. Il a tué Mireille, j'ai tué Cortès. Ou le contraire ? Je ne me souviens plus.

Louis s'accroupit, son sourire démoniaque tout contre le visage de Barnabé, et murmura :

– Eh oui, c'est moi qui ai manipulé la pauvre Jeanne d'Arcy pour vous attirer. Elle s'est crue amoureuse de moi, pauvre chérie. Elle le croit encore, d'ailleurs. Elle doit me rejoindre sous peu pour se marier avec moi...

Toujours assis, Laurent continua :

– Ainsi, la tentative d'assassinat dont vous avez été victime, mon brave commissaire, était entièrement factice. Il fallait vous donner envie de vous donner à fond. Mon frère est très convaincant...

– Avec un nez rouge...

– Et un gros ventre...

– Et un panier... Vous y avez cru, n'est-ce pas ? Il y a cru, Laurent. Il y a cru !

Laurent jouait avec son scalpel, découpant des morceaux d'air. Alice se mit à gémir. Louis se retourna, la gifla :

– Tais-toi, salope !

Barnabé aurait voulu bondir. Il se contenta de continuer la conversation. Plus le temps passait, plus il avait ses chances...

– Et comment avez-vous fait, pour le dossier Hudelo ?

– Simple, répondit Laurent. J'ai parlé dans un bistrot avec Arlette Stavisky. Le serveur, qui était sûrement un indic, a fait suivre l'information. Dès lors, ce n'était qu'une question de temps que vous obteniez le dossier, et que vous vous en serviez pour remonter la piste. Sans le savoir, c'est Hayotte qui m'a donné l'idée. Un jour, il m'a dit : « Rien ne vaut la vengeance. Pas l'amour, pas la bouffe, pas l'argent. La vengeance, c'est le vrai kif. » Il avait raison.

Louis intervint :

– Le seul qui connaissait la vérité, c'était Stavisky. Il allait vous mener à nous.

– À « nous » ?

– Eh oui ! Vous êtes à nous. Qu'allons-nous en faire, Laurent ?

– Je ne sais pas, Louis.

– On le découpe ?

– Oh, oui, Louis...

Ils étaient comme deux clowns sanglants. Louis saisit le scalpel dans la main de son frère et, doucement, l'approcha du visage de Barnabé. Il traça, lentement, une ligne rouge sur son front. Le sang se mit à couler abondamment, aveuglant le commissaire. La blessure n'était pas grave, il le savait, mais gênante. Dans les tranchées, il avait vu des hommes se faire scalper par des éclats d'obus.

Les tempes lui battaient. Sa montre, sur son poignet gauche, scandait le temps qui lui restait à vivre. Il serra les mâchoires. Le sang gouttait sur sa chemise. Il ne sentait plus ses pieds nus, dans les chaussures mouillées.

Louis recula et s'approcha d'Alice. Il posa la pointe du scalpel sur le sein gauche. Alice tenta de se détourner. À travers un voile de sang, Barnabé essayait de suivre les déplacements des deux monstres. Mais Laurent restait tranquillement assis. Il croisa les jambes.

– Maintenant, je vais tout vous dire. Tout.

– Oui, dis-lui !

– Devinez-vous pourquoi tout a été dirigé contre

vous ? Pourquoi vous avez été l'unique but ? Le seul à être visé ?

– Non.

– Eh bien, une autre question : savez-vous qui est notre père ?

– ...

– Nous ne devrions plus avoir aucun secret l'un pour l'autre, commissaire. Au point où nous en sommes... Nous allons nous quitter définitivement, à mon grand regret, avant peu.

– Dis-lui, Laurent.

– Nous connaissons l'identité de celui qui n'est pas notre père, de celui que nous avons appelé papa toute notre enfance. Par chance, Louis était dans une famille non loin de celle qui m'avait adopté... Des alcooliques, des brutes. Et moi, j'ai dû...

Il se mit à hurler, les traits déformés par la rage :

– J'ai dû dire « papa » à une crapule qui me battait, qui abusait de moi ! Qui m'appelait « mon petit crapaud » en me renversant sur la soue à cochons ! Qui me forçait à le débraguetter quand j'avais neuf ans ! Vous avez entendu ? Papa n'était pas mon père ! Mon père...

– ... C'est vous !

– ... C'est toi !

Les deux frères se répondaient, se faisaient écho. Une haine sans limites passait entre eux, une sorte de courant magnétique de rage, un arc tendu de monstruosité. Ils riaient comme des fous, hurlaient dans leur délire, jetaient des bouteilles vides qui se brisaient contre les murs. Le gramophone s'était arrêté. Laurent se mit à hurler.

– Salaud ! Salaud ! Tout est à cause de toi ! Pendant des années, nous t'avons appelé au secours !

Tu n'es qu'un immonde ! Tous les soirs, je priais pour que tu viennes me chercher ! Mais non ! Rien ! Absent ! L'autre me tripotait, sa femme me battait, c'était l'enfer ! L'enfer à neuf ans ! Et toi, toi tu étais ailleurs ! Crapule ! Fiente !

La haine sourdait à chacune de ses phrases. Ses yeux, rougis, exprimaient une rage insondable, inhumaine. Barnabé voyait un monstre se déchaîner.

– La première fois que j'ai tué, c'était un fermier. C'était toi. Je l'ai découpé, puis j'ai donné le cadavre à manger aux porcs ! J'imaginais que tu me suppliais, que tu pleurais ! Dieu, que je t'ai haï...

Louis continua :

– Ensemble, nous avons incendié la ferme des parents adoptifs de Laurent. Ils ont grillé, les deux salauds, on les entendait gueuler de loin... Encore une fois, c'était toi. On fermait les yeux, et on voyait un père inconnu. On a mis longtemps à remonter la piste... jusqu'à ce qu'on retrouve la sage-femme, qui nous a raconté notre naissance. Elle était outrée de ton attitude, salopard ! Tu t'es tiré comme un malpropre, t'as même pas voulu nous voir, paraît... Quand on a su que notre père était le commissaire Barnabé, on s'est promis une belle fête... Un bel enfer. Comme ça !

Louis fendit l'air d'un coup de scalpel, et une touffe de cheveux tomba de la tête de Barnabé. Puis il se dirigea vers Alice, à nouveau, sous l'œil de son frère. Des deux, Louis semblait le plus secret, le plus dément, le plus cruel. Il avait, dans sa façon silencieuse, un ascendant sur Laurent. Il était le dominant.

– Laurent, dit-il, on va s'occuper de la fiancée de papa d'abord, hein ?

– Oh oui !

Laurent tourna le dos à Barnabé. Louis passa derrière Alice, et se mit à tracer des dessins sur le dos nu, sans entamer la chair. Puis, au bout d'un moment, il remonta le phonographe et Lucienne Delisle se mit à chanter *Plaisir d'amour*. Il enfonça le scalpel sous l'omoplate d'Alice et annonça :

– Je vais tailler ! Dans le rouge ! Dans le rouge !

Alice se mit à hurler, sa vessie se vidant en cascade.

Au moment où Louis amorçait un geste plus large, on entendit une pile de cageots tomber. Gino jaillit, la canne-épée à la main. Instantanément, Louis réagit en balayant l'espace avec son scalpel. Laurent se baissa, ramassant une bouteille vide, quand une ombre, venue de l'autre côté, se précipita sur lui : c'était Pierrot-belle-chemise. Laurent vacilla, puis tomba. Pierrot en profita pour trancher les liens de Barnabé. Celui-ci tenta de se redresser : il faillit chuter. Pierrot se mit à taillader les cordelettes qui maintenaient Alice debout. Au moment où Barnabé trouvait enfin son équilibre, il sentit les mains de Laurent le saisir par-derrière. Il était de nouveau dans les tranchées : il se laissa tomber comme un sac, échappant à la prise meurtrière. Puis il roula et se dressa face à Laurent. Celui-ci cherchait le Browning du commissaire dans l'une de ses poches. Mais déjà, Barnabé était sur lui. Il tira sur le remontoir de sa montre, déroulant une fine corde de piano : il la passa autour du cou de Laurent, et tira. Le fil d'acier s'incrusta dans la chair. Laurent tentait de l'arracher, de l'éloigner, la corde s'enfonçait. D'un seul coup, elle entailla les chairs, sectionna les muscles de la nuque, le larynx, les tendons, ne s'arrêtant que sur les vertèbres. Un flot de sang jaillit. La tête de Laurent Berry pivota vers la gauche, le corps vers la droite. Une lueur d'étonnement s'éteignit dans son regard. Il s'affaissa dans les spasmes de la mort. Une flaque noire se forma rapidement, absorbée par la terre battue.

Gino contemplait la manche de sa veste déchirée. Pierrot soutenait le corps d'Alice, jetant son manteau autour d'elle. Louis avait disparu. Barnabé, abattu, vidé, était en état de choc : il venait de tuer son fils.

Sur le comptoir du Cadet-Roussel, quelques verres étaient alignés. Alice, rhabillée, se serrait contre Barnabé. Sa blessure était minuscule, juste une pointe : ils étaient arrivés à temps. Un pharmacien avait exécuté quelques points de suture sur le front de Barnabé, qui ne saignait plus.

– Ah, le chien ! Ma veste neuve !

Gino tempêtait. De retour, Roussel avait fait chauffer la salle. Il allait de l'un à l'autre, aidant, versant de la fine, gêné, précautionneux, muet. Il ne manquerait plus qu'on ferme sa salle pour une histoire comme ça...

Barnabé, levant son verre, demanda à Gino :

– Mais comment tu m'as trouvé ?

– Grâce à Pierrot. J'ai fait la tournée de mes contacts, comme vous me l'avez demandé sur votre mot. L'ennui, c'est que j'ai commencé par Montmartre. Le temps d'arriver à Montparnasse, il était tard. Mais Belle-Chemise avait remarqué un truc.

J'ai suivi. L'instinct, patron. Comme vous m'avez appris : il faut voir l'histoire derrière l'histoire.

Pierrot s'invita :

– Parole d'homme, j'ai bien senti que quelque chose n'allait pas. Ce gars-là, je l'avais vu, je le connaissais : c'est lui qui était sorti de la piaule, après avoir tué la pauvre Loustiquette. Je l'ai pas reconnu tout de suite, il a fallu un moment, et puis c'est revenu. Content de faire votre connaissance, commissaire. Si j'avais cru que je dirais ça à un poulet... Ma chemise est foutue.

– Et comment t'as retrouvé la cave, hein, Pierrot ? demanda Gino.

– Oh ben, facile. Vous pensez bien qu'on a passé du temps, dans ces galeries-là. C'est un vrai dédale, je vous dis. On entre rue du Maine, on sort rue de la Gaîté, on file rue Vandamme, on débouche dans le cimetière... Les poulets, jamais ils ne nous ont eus, là. Je connais ça comme ma poche, allez. Quand on est voyou, faut savoir se défendre, hein !

Gino jeta un coup d'œil sur le trio et, levant son verre, ajouta :

– Bédame !

Barnabé n'esquissa pas un sourire. Il ressemblait au survivant d'un champ de bataille.

Dehors, la nuit était tombée. Barnabé héla un taxi, soutenant Alice. Pierrot-belle-chemise partit faire le relevé des compteurs, et changer de liquette. Gino prit la rue de la Gaîté et croisa Gino-Audibert, qui se hâtait pour prendre son service. Mû par une impulsion, il prit le garçon par le bras, et ils descendirent la rue ensemble, sans un mot.

Barnabé, blême, défait, était l'ombre de lui-même. Comment vivre avec ce poids, ces morts, cette culpabilité ? Il se soûla et Alice, épuisée, le regarda sombrer dans un sommeil de brute, près d'elle. Demain, oui, demain est un autre jour, se dit-elle, en lui caressant la joue, tandis que les fantômes du passé hantaient les rêves de son amant.

– CHAPITRE 23 –

Le suicide d'Alexandre Stavisky, le 8 janvier 1934, dans un chalet isolé à Chamonix, fit tomber le gouvernement. Le lit sur lequel l'escroc avait agonisé, une balle dans la tête, disparut. Comme par enchantement, la chambre du Chalet d'Arbois fut lavée, à la paille de fer. On découvrit de faux papiers au nom de Niemensko, et la balle qui avait traversé la tête de Stavisky était fichée dans le mur, à une hauteur de 2,40 mètres. Or, l'impact se situait à 1,34 mètre. Il était donc assis ? Mais pourquoi l'avait-on retrouvé couché par terre ? Il laissait des dettes, une lettre à Arlette commençant par « Ma femme bien-aimée », et un mot à l'intention du commissaire Barnabé.

Celui-ci déplia le papier, dans son bureau. Ces simples mots y étaient tracés : « Suivez la femme ».

Barnabé savait que son passé le hanterait toujours, et que la culpabilité pèserait sur le reste de sa vie. Avait-il engendré deux monstres, ou fabriqué deux fous en refusant de voir autre chose que son désespoir, à la mort d'Eleanora ? Il se poserait sans doute la question jusqu'à la fin de ses jours... Mais une chose était sûre : un de ces monstres courait encore. Il fallait le traquer, l'empêcher de nuire. Ne pas avoir à se sentir responsable, en plus, de ses futurs crimes. Curieusement, Eleanora était sortie de sa tête. Il se dit qu'au moins, Alice était là. Elle ne le lâcherait pas, il en était sûr. Elle l'aiderait peut-être, même, à se libérer de la vision du Mal dont ses deux fils lui avaient donné l'interprétation la plus hallucinée.

Alors il décida de suivre le conseil de Stavisky : il se mit en quête de la femme...

– ÉPILOGUE –

PARIS, 6 FÉVRIER 1934

Il avait suivi la femme. Maintenant, dans cette nuit de barricades, d'émeute, de sang, il l'avait rejointe. Jeanne d'Arcy, son écharpe rouge sur l'épaule, s'était figée. Barnabé, qui l'avait repérée depuis la Maison de la chimie où il s'était réfugié avec Hubert Duphault, ne la quittait pas du regard. Les gardes à cheval continuaient à sabrer, les manifestants lançaient des billes sous les sabots des montures, le feu prenait un peu partout, les détonations, assourdissantes, saturaient l'atmosphère.

Barnabé s'élança soudain dans la foule, jouant des coudes, se baissant sous les cannes ferrées qui volaient, évitant les matraques des policiers et celles de camelots du roi. En arrivant au bout de la place, il vit un spectacle d'enfer : Louis Bert, vif comme l'éclair, sabre à la main, venait de fendre le crâne d'un homme qui avait roulé dans le caniveau.

Les gens s'écartaient. Jeanne d'Arcy, la robe souillée, le visage défait, ne courait plus : elle s'était arrêtée. Les jambes écartées devant le cadavre mutilé, Louis Bert regardait cette femme, dont il avait partagé la vie. Un arc électrique de haine, de

299

barbarie, de terreur, passait entre eux. Les mains pendantes, la bouche animée d'un mauvais sourire, les pieds plantés dans des ordures, le cadavre devant lui, Louis Bert, immobile, regardait les manifestants s'écarter, créant une scène vide, un lieu où nul ne passait. Les combats se poursuivaient tout autour, mais dans ce cercle, il n'y avait plus que de la peur, innommable et palpable. Barnabé s'arrêta. Il avait le sentiment de voir le Mal à l'état pur.

Louis Bert fit signe, d'un mouvement de menton, à Jeanne d'Arcy. Celle-ci, hypnotisée, avança lentement. Ses yeux ne quittaient pas ceux de cet homme, qui semblait avoir pris possession de son âme. Le cri d'un Jeune patriote troua l'air de ce matin encore obscur, et les fers des chevaux martelèrent les pavés, faisant voler une neige noire et rouge.

Jeanne d'Arcy traversa l'espace déserté entre elle et le monstre qui la défiait, lentement, avec une précision d'automate. Un chien perdu, la queue basse, se précipita, et s'arrêta net. Parvenu devant Louis Bert, il courba l'échine et disparut derrière des poubelles. Barnabé, pétrifié, ne bougeait pas, de même que les dizaines d'émeutiers massés, incrédules, ne comprenant pas ce qui se passait, fascinés par l'aura maléfique qui émanait de cet homme seul. Jeanne, parvenue devant son amant, leva mécaniquement les bras. Elle le touchait presque, elle allait l'enlacer, elle allait l'embrasser.

Louis Bert frissonna. À l'instant précis où elle allait l'étreindre, en un éclair, il lui taillada le ventre, de droite à gauche, d'un geste sauvage. Barnabé tenta de s'avancer, mais des forts des Halles, massifs et obstinés, les mains ensanglantées, barraient le chemin. Ils voulaient à tout prix s'emparer du tueur. Barnabé essaya de s'ouvrir un accès, mais il était encore trop loin. Un gendarme passa au galop, et le renversa. À travers les jambes des hommes, Barnabé vit un spectacle qu'il n'oublierait jamais, une image indélébile de la noirceur humaine.

Jeanne s'arrêta, choquée. Lentement, lentement, elle baissa les yeux, et vit ses intestins se répandre, en longs cordons blancs, sur ses genoux, puis sur le sol. Le ventre béait, déversant des flots de sang par terre, en longs jets noirs. Ses jambes commencèrent à céder. Elle allait tomber, quand Louis Bert, de la pointe du sabre, accrocha l'intestin grêle, et, levant l'arme, attira les tripes vers le ciel, dans un bruit de serpillière essorée. La femme, vidée, s'effondra. Triomphant, l'assassin, lui cria :

– Ainsi, tu l'as mené vers moi ! Voilà ta récompense, Jeanne !

Et son regard se dirigea vers Barnabé. Celui-ci, s'étant relevé, cria :

– Prenez-le !

Louis Bert, le visage déformé par le plaisir, éclata de rire. On entendit son ricanement dément rouler dans la foule, rebondir sur les murs. Une seconde, la marche du temps s'arrêta.

Puis Jeanne d'Arcy tomba, morte, sur le corps de l'homme décapité.

Alors, ce fut la curée. Forts des Halles, camelots du roi, Jeunes patriotes, vétérans et nouveaux venus, soldats et étudiants, manifestants et anarchistes, tous se jetèrent sur l'immonde. Ce fut une mer de têtes, de coudes, de dos. Ils se piétinaient, se frappaient pour atteindre l'assassin, dont on n'entendait plus que le rire. Englouti par cette marée furieuse, il allait être noyé. Barnabé essayait de s'approcher, mais la masse était compacte. On vit un bras coupé voler au-dessus des casquettes, un homme tomber, le côté fendu. Les manifestants glissaient dans le sang, se prenaient les pieds dans les deux cadavres. L'un d'entre eux trébucha dans les viscères répandus, et tomba. Ce fut une pagaille terrible. On se vautrait dans les organes sanglants, on se marchait dessus, on dérapait sur les pavés ruisselants de sang. Un garde mobile se fraya un chemin, frappant du dos de son sabre. La foule s'ouvrit. Louis Bert, le visage maculé, les mains rouges, apparut tel un démon ricanant. Le garde éperonna sa monture et lança sa charge. À peine le cheval avait-il fait un pas que Bert, rapide, s'avança et, à la pointe du sabre, creva les deux yeux de la malheureuse bête, qui hennit de douleur. Puis, roulant sous le cheval, Bert dressa le tranchant de son arme, et éventra l'animal. Quand il se redressa, le cheval, blessé à mort, se coucha sur le cavalier, lui brisant la cuisse. Barnabé vit sa chance : il repoussa un ouvrier, et se jeta sur Louis Bert. Celui-ci, l'apercevant, hurla de nouveau sa haine.

– Tu es mon père ! Et tu as tué mon frère, salaud !

Et il pointa le sabre vers Barnabé. Un fort des Halles, le ventre couvert d'un épais tablier de cuir, détourna le coup. Louis Bert virevolta, taillada le cou d'un homme, traversa l'épaule d'un autre. La foule se fendait devant lui. Il s'ouvrait un chemin de sang, il coupait des membres, lacérait des jarrets. Sa lame traversa les joues d'un gendarme, de part en part. Il plongea dans la foule, disparut. Barnabé, son manteau en loques, avait perdu un soulier. Il se battait, écartait les corps, mû par une énergie terrible. Ce monstre, cet égorgeur, était son fils ?

Un réverbère, rue de Bourgogne, luisait. Barnabé devina, au mouvement de la foule, que Louis Bert était là, à une centaine de mètres, s'éloignant. Il redoubla d'efforts. Parvenu à mi-chemin, il vit...

Il vit une main qui jetait quelque chose sur le réverbère, une pièce de tissu y resta accrochée, pendante. Louis Bert, prenant appui sur une voiture, apparut au-dessus de la mêlée. Échevelé, couvert de sang, il cria :

– Maudit sois-tu, Père ! Que le diable t'étouffe ! Je vengerai mon frère, je serai le fantôme de ton fils. À partir de maintenant, je m'appelle aussi Laurent Berry !

Et il disparut dans la foule compacte.

Quand Barnabé parvint au réverbère, il chercha du regard l'assassin. Mais celui-ci s'était fondu dans la nuit. Le commissaire décrocha l'écharpe, la déposa. En l'ouvrant sur une plaque de neige noircie, il vit qu'elle contenait la tête d'une femme aux yeux pers. Dans la lueur rousse de la flamme du réverbère, Jeanne d'Arcy semblait sourire, d'un sourire figé par le froid et l'épouvante.

Quand Barnabé parvint à la Seine, le jour se levait, et le fleuve, dans la brume d'hiver, avait des reflets rougeoyants.

– Remerciements –

J'aimerais remercier les personnes suivantes pour l'aide et le soutien qu'elles m'ont apportés : Michel Lafon, Pierre Fery, Patrick Goavec, Manu, ma jolie Margaux, Deborah Kaufmann, Sandrine Fillipetti, Sylvain « mon héraut », Slony, ma famille « mes anges », et ma chère Huguette Maure. Tous ont travaillé dur, leur enthousiasme n'ayant d'égal que l'espoir qu'ils plaçaient dans mon premier livre.

C'est au film *Fargo* des frères Coen que je dois de connaître l'envie d'écrire un « polar » feutré dans une ambiance de neige, et à ma nouvelle et talentueuse amie, Alex Barclay, qui m'a donné le « souffle ».

Mais c'est surtout à ma mère, mon amour, que je dois d'avoir pu mener à bien ma tâche. Ses encouragements et son soutien furent sans faille. Je n'y serais pas parvenue sans son inspiration et son total dévouement.

– Table des matières –

Composition PCA
44400 – Rezé

Impression réalisée sur CAMERON par

BRODARD & TAUPIN
GROUPE CPI
La Flèche

pour le compte des Éditions Michel Lafon
en janvier 2007

Imprimé en France
Dépôt légal : janvier 2007
N° d'impression : 39456
ISBN : 978-2-7499-0557-0
LAF : 840